Molière

L'École des femmes

**Dossier réalisé par
Jean-Luc Vincent**

**Lecture d'image par
Valérie Lagier**

Ancien élève de l'École normale supérieure de la rue d'Ulm et agrégé de lettres classiques, **Jean-Luc Vincent** enseigne la littérature française à l'université de Strasbourg de 1999 à 2002 avant de devenir comédien. Chez Gallimard, il a publié une lecture accompagnée du *Bonheur des Dames* de Zola et du *Dom Juan* de Molière ainsi qu'une anthologie commentée, *3 questions de dramaturgie* (collection « La bibliothèque Gallimard »).

Conservateur au musée de Grenoble puis au musée des Beaux-Arts de Rennes, **Valérie Lagier** a organisé de nombreuses expositions d'art moderne et contemporain. Elle a créé, à Rennes, un service éducatif très innovant, et assuré de nombreuses formations d'histoire de l'art pour les enseignants et les étudiants. Elle est l'auteur de plusieurs publications scientifiques et pédagogiques. Elle est actuellement adjointe à la directrice des études de l'Institut national du Patrimoine à Paris.

Sommaire

Sommaire

L'École des femmes

Comédie

À Madame[1]

MADAME,

Je suis le plus embarrassé homme du monde, lorsqu'il me faut dédier un livre ; et je me trouve si peu fait au style d'épître dédicatoire, que je ne sais pas où sortir de celle-ci. Un autre auteur qui serait en ma place trouverait d'abord cent belles choses à dire de Votre Altesse Royale, sur le titre de *L'École des femmes*, et l'offre qu'il vous en ferait. Mais, pour moi, Madame, je vous avoue mon faible[2]. Je ne sais point cet art de trouver des rapports entre des choses si peu proportionnées ; et, quelques belles lumières que mes confrères les auteurs me donnent tous les jours sur de pareils sujets, je ne vois point ce que Votre Altesse Royale pourrait avoir à démêler avec la comédie que je lui présente. On n'est pas en peine, sans doute, comment il faut faire pour vous louer. La matière, Madame, ne saute que trop aux yeux ; et, de quelque côté qu'on vous regarde, on rencontre gloire sur gloire, et qualités sur qualités. Vous en avez, Madame, du côté du rang et de la naissance, qui vous font respecter de toute la terre. Vous en avez du côté des grâces, et de l'esprit et du corps, qui vous font admirer de

---

1. Henriette d'Angleterre, épouse de Monsieur, frère du roi, à qui Molière avait dédié son *École des maris*.
2. Ma faiblesse.

toutes les personnes qui vous voient. Vous en avez du côté de l'âme, qui, si l'on ose parler ainsi, vous font aimer de tous ceux qui ont l'honneur d'approcher de vous : je veux dire cette douceur pleine de charmes, dont vous daignez tempérer la fierté des grands titres que vous portez ; cette bonté toute obligeante, cette affabilité généreuse que vous faites paraître pour tout le monde. Et ce sont particulièrement ces dernières pour qui je suis, et dont je sens fort bien que je ne me pourrai taire quelque jour. Mais encore une fois, Madame, je ne sais point le biais de faire entrer ici des vérités si éclatantes ; et ce sont choses, à mon avis, et d'une trop vaste étendue et d'un mérite trop relevé, pour les vouloir renfermer dans une épître, et les mêler avec des bagatelles. Tout bien considéré, Madame, je ne vois rien à faire ici pour moi, que de vous dédier simplement ma comédie, et de vous assurer, avec tout le respect qu'il m'est possible, que je suis,

De Votre Altesse Royale,

MADAME,

Le très humble, très obéissant
et très obligé serviteur,
J. B. MOLIÈRE.

Préface

Bien des gens ont frondé d'abord cette comédie ; mais les rieurs ont été pour elle, et tout le mal qu'on en a pu dire n'a pu faire qu'elle n'ait eu un succès dont je me contente.

Je sais qu'on attend de moi dans cette impression quelque préface qui réponde aux censeurs et rende raison de mon ouvrage ; et sans doute que je suis assez redevable à toutes les personnes qui lui ont donné leur approbation, pour me croire obligé de défendre leur jugement contre celui des autres ; mais il se trouve qu'une grande partie des choses que j'aurais à dire sur ce sujet est déjà dans une dissertation que j'ai faite en dialogue, et dont je ne sais encore ce que je ferai[1]. L'idée de ce dialogue, ou, si l'on veut, de cette petite comédie, me vint après les deux ou trois premières représentations de ma pièce. Je la dis, cette idée, dans une maison où je me trouvai un soir, et d'abord une personne de qualité, dont l'esprit est assez connu dans le monde, et qui me fait l'honneur de m'aimer, trouva le projet assez à son gré, non seulement pour me solliciter d'y mettre la main, mais encore pour l'y mettre lui-même ; et je fus étonné que deux jours après il me montra toute l'affaire

---

1. *La Critique de l'École des femmes* qui sera représentée le 1er juin 1663.

exécutée d'une manière à la vérité beaucoup plus galante et plus spirituelle que je ne puis faire, mais où je trouvai des choses trop avantageuses pour moi ; et j'eus peur que, si je produisais cet ouvrage sur notre théâtre, on ne m'accusât d'abord d'avoir mendié les louanges qu'on m'y donnait. Cependant cela m'empêcha, par quelque considération, d'achever ce que j'avais commencé. Mais tant de gens me pressent tous les jours de le faire, que je ne sais ce qui en sera ; et cette incertitude est cause que je ne mets point dans cette préface ce qu'on verra dans la *Critique*, en cas que je me résolve à la faire paraître. S'il faut que cela soit, je le dis encore, ce sera seulement pour venger le public du chagrin délicat de certaines gens ; car, pour moi, je m'en tiens assez vengé par la réussite de ma comédie ; et je souhaite que toutes celles que je pourrai faire soient traitées par eux comme celle-ci, pourvu que le reste soit de même.

LES PERSONNAGES

ARNOLPHE, *autrement* M. DE LA SOUCHE.
AGNÈS, *jeune fille innocente, élevée par Arnolphe.*
HORACE, *amant d'Agnès.*
ALAIN, *paysan, valet d'Arnolphe.*
GEORGETTE, *paysanne, servante d'Arnolphe.*
CHRYSALDE, *ami d'Arnolphe.*
ENRIQUE, *beau-frère de Chrysalde.*
ORONTE, *père d'Horace et grand ami d'Arnolphe.*

La scène est dans une place de ville.

Représentée pour la première fois à Paris, sur le Théâtre du Palais-Royal, le 26 décembre 1662, par la Troupe de Monsieur Frère Unique du Roi.

Acte premier

Scène première

CHRYSALDE, ARNOLPHE

CHRYSALDE

Vous venez, dites-vous, pour lui donner la main[1] ?

ARNOLPHE

Oui, je veux terminer la chose dans demain.

CHRYSALDE

Nous sommes ici seuls ; et l'on peut, ce me semble,
Sans craindre d'être ouïs, y discourir ensemble :
5 Voulez-vous qu'en ami je vous ouvre mon cœur ?
Votre dessein pour vous me fait trembler de peur ;
Et de quelque façon que vous tourniez l'affaire,
Prendre femme est à vous un coup bien téméraire.

ARNOLPHE

Il est vrai, notre ami. Peut-être que chez vous
10 Vous trouvez des sujets de craindre pour chez nous ;

_____

1. L'épouser.

Et votre front, je crois, veut que du mariage
Les cornes soient partout l'infaillible apanage.

CHRYSALDE

Ce sont coups du hasard, dont on n'est point garant,
Et bien sot, ce me semble, est le soin qu'on en prend.
15 Mais quand je crains pour vous, c'est cette raillerie
Dont cent pauvres maris ont souffert la furie;
Car enfin vous savez qu'il n'est grands ni petits
Que de votre critique on ait vus garantis;
Que vos plus grands plaisirs sont, partout où vous êtes,
20 De faire cent éclats des intrigues secrètes...

ARNOLPHE

Fort bien: est-il au monde une autre ville aussi
Où l'on ait des maris si patients qu'ici?
Est-ce qu'on n'en voit pas, de toutes les espèces,
Qui sont accommodés chez eux de toutes pièces[1]?
25 L'un amasse du bien, dont sa femme fait part
À ceux qui prennent soin de le faire cornard[2];
L'autre un peu plus heureux, mais non pas moins infâme,
Voit faire tous les jours des présents à sa femme,
Et d'aucun soin jaloux n'a l'esprit combattu,
30 Parce qu'elle lui dit que c'est pour sa vertu.
L'un fait beaucoup de bruit qui ne lui sert de guère;
L'autre en toute douceur laisse aller les affaires,
Et voyant arriver chez lui le damoiseau[3],
Prend fort honnêtement ses gants et son manteau.
35 L'une de son galant, en adroite femelle,
Fait fausse confidence à son époux fidèle,

---

1. Maltraités de toutes les façons.
2. Qui porte des cornes, c'est-à-dire cocu.
3. Jeune homme empressé et galant auprès des femmes (Littré).

Qui dort en sûreté sur un pareil appas[1],
Et le plaint, ce galant, des soins qu'il ne perd pas;
L'autre, pour se purger[2] de sa magnificence,
40 Dit qu'elle gagne au jeu l'argent qu'elle dépense;
Et le mari benêt, sans songer à quel jeu,
Sur les gains qu'elle fait rend des grâces à Dieu.
Enfin, ce sont partout des sujets de satire:
Et comme spectateur ne puis-je pas en rire?
45 Puis-je pas de nos sots…?

CHRYSALDE

Oui; mais qui rit d'autrui
Doit craindre qu'en revanche on rie aussi de lui.
J'entends parler le monde; et des gens se délassent
À venir débiter les choses qui se passent;
Mais, quoi que l'on divulgue aux endroits où je suis,
50 Jamais on ne m'a vu triompher[3] de ces bruits.
J'y suis assez modeste; et, bien qu'aux occurrences[4]
Je puisse condamner certaines tolérances,
Que mon dessein ne soit de souffrir[5] nullement
Ce que quelques maris souffrent paisiblement,
55 Pourtant je n'ai jamais affecté de le dire[6];
Car enfin il faut craindre un revers de satire,
Et l'on ne doit jamais jurer sur de tels cas
De ce qu'on pourra faire, ou bien ne faire pas.
Ainsi, quand à mon front, par un sort qui tout mène,
60 Il serait arrivé quelque disgrâce humaine,
Après mon procédé, je suis presque certain
Qu'on se contentera de s'en rire sous main;

---

1. Leurre.
2. Se justifier.
3. Me réjouir.
4. Dans certains cas.
5. Supporter.
6. Aimé à le dire.

Et peut-être qu'encor j'aurai cet avantage,
Que quelques bonnes gens diront que c'est dommage,
65 Mais de vous, cher compère, il en est autrement :
Je vous le dis encor, vous risquez diablement.
Comme sur les maris accusés de souffrance[1]
De tout temps votre langue a daubé d'importance[2],
Qu'on vous a vu contre eux un diable déchaîné,
70 Vous devez marcher droit pour n'être point berné ;
Et s'il faut que sur vous on ait la moindre prise,
Gare qu'aux carrefours on ne vous tympanise[3],
Et...

ARNOLPHE

Mon Dieu, notre ami, ne vous tourmentez point ;
Bien huppé[4] qui pourra m'attraper sur ce point.
75 Je sais les tours rusés et les subtiles trames
Dont pour nous en planter[5] savent user les femmes,
Et comme on est dupé par leurs dextérités.
Contre cet accident j'ai pris mes sûretés ;
Et celle que j'épouse a toute l'innocence
80 Qui peut sauver mon front de maligne influence.

CHRYSALDE

Et que prétendez-vous qu'une sotte, en un mot...

ARNOLPHE

Épouser une sotte est pour n'être point sot[6].
Je crois, en bon chrétien, votre moitié fort sage ;

---

1. Complaisance.
2. Arnolphe s'est très vivement moqué des maris complaisants.
3. Décrie hautement et publiquement.
4. Adroit (registre familier).
5. Planter des cornes.
6. Jeu sur le double sens du mot sot à l'époque (stupide et cocu).

Mais une femme habile est un mauvais présage ;
85 Et je sais ce qu'il coûte à de certaines gens
Pour avoir pris les leurs avec trop de talents.
Moi, j'irais me charger d'une spirituelle[1]
Qui ne parlerait rien que cercle et que ruelle[2],
Qui de prose et de vers ferait de doux écrits,
90 Et que visiteraient marquis et beaux esprits,
Tandis que, sous le nom du mari de Madame,
Je serais comme un saint que pas un ne réclame ?
Non, non, je ne veux point d'un esprit qui soit haut ;
Et femme qui compose en sait plus qu'il ne faut.
95 Je prétends que la mienne, en clartés peu sublime,
Même ne sache pas ce que c'est qu'une rime ;
Et s'il faut qu'avec elle on joue au corbillon[3]
Et qu'on vienne à lui dire à son tour : « Qu'y met-on ? »
Je veux qu'elle réponde : « Une tarte à la crème » ;
100 En un mot, qu'elle soit d'une ignorance extrême ;
Et c'est assez pour elle, à vous en bien parler,
De savoir prier Dieu, m'aimer, coudre et filer.

CHRYSALDE

Une femme stupide est donc votre marotte ?

ARNOLPHE

Tant, que j'aimerais mieux une laide bien sotte
105 Qu'une femme fort belle avec beaucoup d'esprit.

---

1. Femme d'esprit.
2. Cercle : assemblée mondaine d'hommes et de femmes d'esprit. Ruelle : espace qui entourait immédiatement le lit et dans lequel recevaient les femmes de la bonne société. Il s'agit d'un des hauts lieux de la mondanité intellectuelle directement liée au monde des salons.
3. Jeu de société où l'on doit répondre par un mot en *on* à la question : que met-on dans mon corbillon ?

CHRYSALDE

L'esprit et la beauté…

ARNOLPHE

L'honnêteté suffit.

CHRYSALDE

Mais comment voulez-vous, après tout, qu'une bête
Puisse jamais savoir ce que c'est qu'être honnête ?
Outre qu'il est assez ennuyeux, que je crois,
110 D'avoir toute sa vie une bête avec soi,
Pensez-vous le bien prendre, et que sur votre idée
La sûreté d'un front puisse être bien fondée ?
Une femme d'esprit peut trahir son devoir ;
Mais il faut pour le moins qu'elle ose le vouloir ;
115 Et la stupide au sien peut manquer d'ordinaire,
Sans en avoir l'envie et sans penser le faire.

ARNOLPHE

À ce bel argument, à ce discours profond,
Ce que Pantagruel à Panurge[1] répond :
Pressez-moi de me joindre à femme autre que sotte,
120 Prêchez, patrocinez[2] jusqu'à la Pentecôte ;
Vous serez ébahi, quand vous serez au bout,
Que vous ne m'aurez rien persuadé du tout.

CHRYSALDE

Je ne vous dis plus mot.

ARNOLPHE

                    Chacun a sa méthode.
En femme, comme en tout, je veux suivre ma mode.

---

1. Héros de l'œuvre de François Rabelais (1494-1553).
2. Chercher à persuader par de longs discours.

125 Je me vois riche assez pour pouvoir, que je crois,
　　Choisir une moitié qui tienne tout de moi,
　　Et de qui la soumise et pleine dépendance
　　N'ait à me reprocher aucun bien ni naissance.
　　Un air doux et posé, parmi d'autres enfants,
130 M'inspira de l'amour pour elle dès quatre ans;
　　Sa mère se trouvant de pauvreté pressée,
　　De la lui demander il me vint la pensée;
　　Et la bonne paysanne, apprenant mon désir,
　　À s'ôter cette charge eut beaucoup de plaisir.
135 Dans un petit couvent, loin de toute pratique[1],
　　Je la fis élever selon ma politique,
　　C'est-à-dire ordonnant quels soins on emploirait
　　Pour la rendre idiote autant qu'il se pourrait.
　　Dieu merci, le succès a suivi mon attente :
140 Et grande, je l'ai vue à tel point innocente,
　　Que j'ai béni le Ciel d'avoir trouvé mon fait,
　　Pour me faire une femme au gré de mon souhait.
　　Je l'ai donc retirée; et comme ma demeure
　　À cent sortes de monde est ouverte à toute heure,
145 Je l'ai mise à l'écart, comme il faut tout prévoir,
　　Dans cette autre maison où nul ne me vient voir;
　　Et pour ne point gâter sa bonté naturelle,
　　Je n'y tiens que des gens tout aussi simples qu'elle,
　　Vous me direz : Pourquoi cette narration ?
150 C'est pour vous rendre instruit de ma précaution.
　　Le résultat de tout est qu'en ami fidèle
　　Ce soir je vous invite à souper avec elle,
　　Je veux que vous puissiez un peu l'examiner,
　　Et voir si de mon choix on me doit condamner.

CHRYSALDE

155 J'y consens.

_____

1. Fréquentation du monde.

ARNOLPHE

Vous pourrez, dans cette conférence[1],
Juger de sa personne et de son innocence.

CHRYSALDE

Pour cet article-là, ce que vous m'avez dit
Ne peut…

ARNOLPHE

La vérité passe encor mon récit.
Dans ses simplicités à tous coups je l'admire,
160 Et parfois elle en dit dont je pâme de rire.
L'autre jour (pourrait-on se le persuader ?),
Elle était fort en peine, et me vint demander,
Avec une innocence à nulle autre pareille,
Si les enfants qu'on fait se faisaient par l'oreille.

CHRYSALDE

165 Je me réjouis fort, Seigneur Arnolphe…

ARNOLPHE

Bon !
Me voulez-vous toujours appeler de ce nom ?

CHRYSALDE

Ah ! malgré que j'en aie[2], il me vient à la bouche,
Et jamais je ne songe à Monsieur de la Souche.
Qui diable vous a fait aussi vous aviser,
170 À quarante et deux ans, de vous débaptiser,
Et d'un vieux tronc pourri de votre métairie
Vous faire dans le monde un nom de seigneurie ?

---

1. Conversation privée.
2. Malgré moi.

ARNOLPHE

Outre que la maison par ce nom se connaît,
La Souche plus qu'Arnolphe à mes oreilles plaît.

CHRYSALDE

175 Quel abus de quitter le vrai nom de ses pères
Pour en vouloir prendre un bâti sur des chimères !
De la plupart des gens c'est la démangeaison ;
Et, sans vous embrasser dans la comparaison,
Je sais un paysan qu'on appelait Gros-Pierre,
180 Qui n'ayant pour tout bien qu'un seul quartier de terre,
Y fit tout à l'entour faire un fossé bourbeux,
Et de Monsieur de l'Isle en prit le nom pompeux.

ARNOLPHE

Vous pourriez vous passer d'exemples de la sorte.
Mais enfin de la Souche est le nom que je porte :
185 J'y vois de la raison, j'y trouve des appas ;
Et m'appeler de l'autre est ne m'obliger[1] pas.

CHRYSALDE

Cependant la plupart ont peine à s'y soumettre,
Et je vois même encor des adresses de lettre…

ARNOLPHE

Je le souffre aisément de qui n'est pas instruit ;
190 Mais vous…

CHRYSALDE

           Soit : là-dessus nous n'aurons point de bruit.
Et je prendrai le soin d'accoutumer ma bouche
À ne plus vous nommer que Monsieur de la Souche.

_____

1. Rendre service.

ARNOLPHE

Adieu. Je frappe ici pour donner le bonjour.
Et dire seulement que je suis de retour.

CHRYSALDE, *s'en allant.*

195 Ma foi, je le tiens fou de toutes les manières.

ARNOLPHE

Il est un peu blessé [1] sur certaines matières.
Chose étrange de voir comme avec passion
Un chacun est chaussé de son opinion !
Holà !

Scène 2

ALAIN, GEORGETTE, ARNOLPHE

ALAIN

Qui heurte ?

ARNOLPHE

Ouvrez. On aura, que je pense,
200 Grande joie à me voir après dix jours d'absence.

ALAIN

Qui va là ?

ARNOLPHE

Moi.

---

1. Fou.

ALAIN

Georgette !

GEORGETTE

Hé bien ?

ALAIN

Ouvre là-bas.

GEORGETTE

Vas-y, toi.

ALAIN

Vas-y, toi.

GEORGETTE

Ma foi, je n'irai pas.

ALAIN

Je n'irai pas aussi.

ARNOLPHE

Belle cérémonie
Pour me laisser dehors ! Holà ho, je vous prie.

GEORGETTE

205 Qui frappe ?

ARNOLPHE

Votre maître.

GEORGETTE

Alain !

ALAIN

Quoi ?

GEORGETTE

C'est Monsieur.
Ouvre vite.

ALAIN

Ouvre, toi.

GEORGETTE

Je souffle notre feu.

ALAIN

J'empêche, peur du chat, que mon moineau ne sorte.

ARNOLPHE

Quiconque de vous deux n'ouvrira pas la porte
N'aura point à manger de plus de quatre jours.
210 Ha !

GEORGETTE

Par quelle raison y venir, quand j'y cours ?

ALAIN

Pourquoi plutôt que moi ? Le plaisant strodagème[1] !

GEORGETTE

Ôte-toi donc de là.

ALAIN

Non, ôte-toi, toi-même.

---

1. Alain maîtrise mal certains mots compliqués comme stratagème.

GEORGETTE

Je veux ouvrir la porte.

ALAIN

Et je veux l'ouvrir, moi.

GEORGETTE

Tu ne l'ouvriras pas.

ALAIN

Ni toi non plus.

GEORGETTE

Ni toi.

ARNOLPHE

215 Il faut que j'aie ici l'âme bien patiente !

ALAIN

Au moins, c'est moi, Monsieur.

GEORGETTE

Je suis votre servante,

C'est moi.

ALAIN

Sans le respect de Monsieur que voilà,

Je te…

ARNOLPHE, *recevant un coup d'Alain.*

Peste !

ALAIN

Pardon.

ARNOLPHE

Voyez ce lourdaud-là !

ALAIN

C'est elle aussi, Monsieur…

ARNOLPHE

Que tous deux on se taise,
220 Songez à me répondre, et laissons la fadaise.
Hé bien, Alain, comment se porte-t-on ici ?

ALAIN

Monsieur, nous nous… Monsieur, nous nous por…
   Dieu merci,
Nous nous…

*Arnolphe ôte par trois fois le chapeau de dessus la
tête d'Alain.*

ARNOLPHE

Qui vous apprend, impertinente bête,
À parler devant moi le chapeau sur la tête ?

ALAIN

225 Vous faites bien, j'ai tort.

ARNOLPHE, *à Alain.*

Faites descendre Agnès.

À Georgette.

Lorsque je m'en allai, fut-elle triste après ?

GEORGETTE

Triste ? Non.

ARNOLPHE

Non ?

GEORGETTE

Si fait.

ARNOLPHE

Pourquoi donc… ?

GEORGETTE

Oui, je meure,
Elle vous croyait voir de retour à toute heure ;
Et nous n'oyions jamais passer devant chez nous
230 Cheval, âne, ou mulet, qu'elle ne prît pour vous.

Scène 3

AGNÈS, ALAIN, GEORGETTE, ARNOLPHE

ARNOLPHE

La besogne à la main ! C'est un bon témoignage.
Hé bien ! Agnès, je suis de retour du voyage :
En êtes-vous bien aise ?

AGNÈS

Oui, Monsieur, Dieu merci.

ARNOLPHE

Et moi de vous revoir je suis bien aise aussi.
235 Vous vous êtes toujours, comme on voit, bien portée ?

AGNÈS

Hors les puces, qui m'ont la nuit inquiétée.

ARNOLPHE

Ah ! vous aurez dans peu quelqu'un pour les chasser.

AGNÈS

Vous me ferez plaisir.

ARNOLPHE

Je le puis bien penser.
Que faites-vous donc là ?

AGNÈS

Je me fais des cornettes[1].
240 Vos chemises de nuit et vos coiffes[2] sont faites.

ARNOLPHE

Ha ! voilà qui va bien. Allez, montez là-haut :
Ne vous ennuyez point, je reviendrai tantôt,
Et je vous parlerai d'affaires importantes.

Tous étant rentrés.

Héroïnes du temps, Mesdames les savantes,
245 Pousseuses de tendresse et de beaux sentiments[3],
Je défie à la fois tous vos vers, vos romans,
Vos lettres, billets doux, toute votre science
De valoir cette honnête et pudique ignorance.

---

1. Bonnets de nuit en toile destinés aux femmes et dont les
cordons se nouent sous le cou.
2. Garnitures de chapeaux ou de bonnets de nuit.
3. Expression empruntée au langage précieux. «Pousser de
beaux sentiments», c'est «se piquer de dire de jolies et de belles
pensées, des choses galantes» (Richelet, *Dictionnaire français*,
1680).

Scène 4

HORACE, ARNOLPHE

ARNOLPHE

Ce n'est point par le bien qu'il faut être ébloui ;
250 Et pourvu que l'honneur soit... Que vois-je ? Est-ce ?...
  Oui.
Je me trompe. Nenni. Si fait. Non, c'est lui-même.
Hor...

HORACE

    Seigneur Ar...

ARNOLPHE

        Horace !

HORACE

            Arnolphe.

ARNOLPHE

                Ah ! joie extrême !
Et depuis quand ici ?

HORACE

            Depuis neuf jours.

ARNOLPHE

                Vraiment ?

HORACE

Je fus d'abord chez vous, mais inutilement.

ARNOLPHE

255 J'étais à la campagne.

HORACE

Oui, depuis deux journées.

ARNOLPHE

Oh! comme les enfants croissent en peu d'années!
J'admire de le voir au point où le voilà,
Après que je l'ai vu pas plus grand que cela.

HORACE

Vous voyez.

ARNOLPHE

Mais, de grâce. Oronte votre père,
260 Mon bon et cher ami, que j'estime et révère,
Que fait-il? que dit-il? est-il toujours gaillard?
À tout ce qui le touche, il sait que je prends part:
Nous ne nous sommes vus depuis quatre ans ensemble.

HORACE

Ni, qui plus est, écrit l'un à l'autre, me semble.
265 Il est, seigneur Arnolphe, encor plus gai que nous,
Et j'avais de sa part une lettre pour vous;
Mais depuis, par une autre, il m'apprend sa venue,
Et la raison encor ne m'en est pas connue.
Savez-vous qui peut être un de vos citoyens
270 Qui retourne en ces lieux avec beaucoup de biens
Qu'il s'est en quatorze ans acquis dans l'Amérique?

ARNOLPHE

Non. Vous a-t-on point dit comme on le nomme?

HORACE

Enrique.

ARNOLPHE

Non.

HORACE

Mon père m'en parle, et qu'il est revenu
Comme s'il devait m'être entièrement connu,
275 Et m'écrit qu'en chemin ensemble ils se vont mettre
Pour un fait important que ne dit point sa lettre.

ARNOLPHE

J'aurai certainement grande joie à le voir,
Et pour le régaler je ferai mon pouvoir[1].

Après avoir lu la lettre.

Il faut pour des amis des lettres moins civiles,
280 Et tous ces compliments sont choses inutiles.
Sans qu'il prît le souci de m'en écrire rien,
Vous pouvez librement disposer de mon bien.

HORACE

Je suis homme à saisir les gens par leurs paroles,
Et j'ai présentement besoin de cent pistoles.

ARNOLPHE

285 Ma foi, c'est m'obliger que d'en user ainsi,
Et je me réjouis de les avoir ici.
Gardez aussi la bourse.

HORACE

Il faut...

---

1. Pour lui être agréable, je ferai tout ce que je peux.

ARNOLPHE

                                    Laissons ce style[1].
Hé bien! comment encor trouvez-vous cette ville?

HORACE

Nombreuse en citoyens, superbe en bâtiments;
290 Et j'en crois merveilleux les divertissements.

ARNOLPHE

Chacun a ses plaisirs qu'il se fait à sa guise;
Mais pour ceux que du nom de galants on baptise,
Ils ont en ce pays de quoi se contenter,
Car les femmes y sont faites à coqueter[2]:
295 On trouve d'humeur douce et la brune et la blonde,
Et les maris aussi les plus bénins du monde;
C'est un plaisir de prince; et des tours que je vois
Je me donne souvent la comédie à moi.
Peut-être en avez-vous déjà féru[3] quelqu'une.
300 Vous est-il point encore arrivé de fortune[4]?
Les gens faits comme vous font plus que les écus,
Et vous êtes de taille à faire des cocus.

HORACE

À ne vous rien cacher de la vérité pure,
J'ai d'amour en ces lieux eu certaine aventure,
305 Et l'amitié m'oblige à vous en faire part.

---

1. Cette procédure. Arnolphe arrête Horace qui s'apprête à lui faire un reçu.
2. Aimer la galanterie, faire la coquette (registre familier).
3. Blessé d'amour (mot directement imité du latin et emprunté au style burlesque).
4. Succès.

ARNOLPHE

Bon ! voici de nouveau quelque conte gaillard ;
Et ce sera de quoi mettre sur mes tablettes.

HORACE

Mais, de grâce, qu'au moins ces choses soient secrètes.

ARNOLPHE

Oh !

HORACE

   Vous n'ignorez pas qu'en ces occasions
310 Un secret éventé rompt nos prétentions.
    Je vous avouerai donc avec pleine franchise
    Qu'ici d'une beauté mon âme s'est éprise.
    Mes petits soins d'abord ont eu tant de succès,
    Que je me suis chez elle ouvert un doux accès ;
315 Et sans trop me vanter ni lui faire une injure,
    Mes affaires y sont en fort bonne posture.

ARNOLPHE, *riant.*

Et c'est ?

HORACE, *lui montrant le logis d'Agnès.*

    Un jeune objet qui loge en ce logis
    Dont vous voyez d'ici que les murs sont rougis ;
    Simple, à la vérité, par l'erreur sans seconde[1]
320 D'un homme qui la cache au commerce du monde,
    Mais qui, dans l'ignorance où l'on veut l'asservir,
    Fait briller des attraits capables de ravir ;
    Un air tout engageant, je ne sais quoi de tendre,
    Dont il n'est point de cœur qui se puisse défendre.

---

1. Sans pareille.

325 Mais peut-être il n'est pas que vous n'ayez bien vu [1]
Ce jeune astre d'amour de tant d'attraits pourvu :
C'est Agnès qu'on l'appelle.

ARNOLPHE, à part.

Ah ! je crève !

HORACE

Pour l'homme
C'est, je crois, de la Zousse ou Source qu'on le nomme :
Je ne me suis pas fort arrêté sur le nom ;
330 Riche, à ce qu'on m'a dit, mais des plus sensés, non ;
Et l'on m'en a parlé comme d'un ridicule.
Le connaissez-vous point ?

ARNOLPHE, à part.

La fâcheuse pilule !

HORACE

Eh ! vous ne dites mot ?

ARNOLPHE

Eh ! oui, je le connois.

HORACE

C'est un fou, n'est-ce pas ?

ARNOLPHE

Eh…

HORACE

Qu'en dites-vous ? quoi ?
335 Eh ? c'est-à-dire oui ? Jaloux à faire rire ?

---

1. Il n'est pas impossible que vous ayez vu (syntaxe classique).

Sot ? Je vois qu'il en est ce que l'on m'a pu dire.
Enfin l'aimable Agnès a su m'assujettir.
C'est un joli bijou, pour ne vous point mentir ;
Et ce serait péché qu'une beauté si rare
340 Fût laissée au pouvoir de cet homme bizarre.
Pour moi, tous mes efforts, tous mes vœux les plus doux
Vont à m'en rendre maître en dépit du jaloux ;
Et l'argent que de vous j'emprunte avec franchise
N'est que pour mettre à bout cette juste entreprise.
345 Vous savez mieux que moi, quels que soient nos efforts,
Que l'argent est la clef de tous les grands ressorts,
Et que ce doux métal qui frappe tant de têtes,
En amour, comme en guerre, avance les conquêtes.
Vous me semblez chagrin[1] : serait-ce qu'en effet
350 Vous désapprouveriez le dessein que j'ai fait ?

ARNOLPHE

Non, c'est que je songeais…

HORACE

                    Cet entretien vous lasse.
Adieu. J'irai chez vous tantôt vous rendre grâce.

ARNOLPHE

Ah ! faut-il… !

HORACE, *revenant.*

            Derechef[2], veuillez être discret,
Et n'allez pas, de grâce, éventer mon secret.

ARNOLPHE

355 Que je sens dans mon âme… !

---

1. De mauvaise humeur.
2. De nouveau.

HORACE, *revenant.*

Et surtout à mon père,
Qui s'en ferait peut-être un sujet de colère.

ARNOLPHE, *croyant qu'il revient encore.*

Oh!... Oh! que j'ai souffert durant cet entretien!
Jamais trouble d'esprit ne fut égal au mien.
Avec quelle imprudence et quelle hâte extrême
360 Il m'est venu conter cette affaire à moi-même!
Bien que mon autre nom le tienne dans l'erreur,
Étourdi montra-t-il jamais tant de fureur?
Mais ayant tant souffert, je devais me contraindre
Jusques à m'éclaircir de ce que je dois craindre
365 À pousser jusqu'au bout son caquet[1] indiscret,
Et savoir pleinement leur commerce[2] secret.
Tâchons à le rejoindre: il n'est pas loin, je pense.
Tirons-en de ce fait l'entière confidence.
Je tremble du malheur qui m'en peut arriver,
370 Et l'on cherche souvent plus qu'on ne veut trouver.

---

1. Bavardage.
2. Relation.

Acte II

Scène première

ARNOLPHE

Il m'est, lorsque j'y pense avantageux sans doute
D'avoir perdu mes pas et pu manquer sa route;
Car enfin de mon cœur le trouble impérieux
N'eût pu se renfermer tout entier à ses yeux:
375 Il eût fait éclater l'ennui[1] qui me dévore,
Et je ne voudrais pas qu'il sût ce qu'il ignore.
Mais je ne suis pas homme à gober le morceau[2],
Et laisser un champ libre aux vœux du damoiseau:
J'en veux rompre le cours et, sans tarder, apprendre
380 Jusqu'où l'intelligence entre eux a pu s'étendre.
J'y prends pour mon honneur un notable intérêt:
Je la regarde en femme, aux termes qu'elle en est[3];
Elle n'a pu faillir sans me couvrir de honte,
Et tout ce qu'elle a fait enfin est sur mon compte.
385 Éloignement fatal! voyage malheureux!

Frappant à la porte.

---

1. Tourment moral.
2. Se laisser tromper (familier).
3. Puisqu'elle est dans la position de l'être.

Scène 2

ALAIN, GEORGETTE, ARNOLPHE

ALAIN

Ah! Monsieur, cette fois…

ARNOLPHE

                    Paix. Venez çà tous deux.
Passez là, passez là. Venez là, venez dis-je.

GEORGETTE

Ah! vous me faites peur, et tout mon sang se fige.

ARNOLPHE

C'est donc ainsi qu'absent vous m'avez obéi?
390 Et tous deux de concert vous m'avez donc trahi?

GEORGETTE

Eh! ne me mangez pas, Monsieur, je vous conjure.

ALAIN, *à part.*

Quelque chien enragé l'a mordu, je m'assure.

ARNOLPHE

Ouf! Je ne puis parler, tant je suis prévenu[1]:
Je suffoque, et voudrais me pouvoir mettre nu.
395 Vous avez donc souffert, ô canaille maudite,
Qu'un homme soit venu?… Tu veux prendre la fuite!
Il faut que sur-le-champ… Si tu bouges…! Je veux

---

1. Préoccupé.

Que vous me disiez... Euh! Oui, je veux que tous
    deux...
Quiconque remûra, par la mort! je l'assomme.

400 Comme est-ce que chez moi s'est introduit cet homme?
Eh! parlez, dépêchez, vite, promptement, tôt,
Sans rêver. Veut-on dire?

ALAIN et GEORGETTE

Ah! Ah!

GEORGETTE

                               Le cœur me faut[1].

ALAIN

Je meurs.

ARNOLPHE

       Je suis en eau: prenons un peu d'haleine;
Il faut que je m'évente, et que je me promène.

405 Aurais-je deviné quand je l'ai vu petit
Qu'il croîtrait pour cela? Ciel! que mon cœur pâtit!
Je pense qu'il vaut mieux que de sa propre bouche
Je tire avec douceur l'affaire qui me touche.
Tâchons de modérer notre ressentiment.

410 Patience, mon cœur, doucement, doucement.
Levez-vous, et rentrant, faites qu'Agnès descende.
Arrêtez. Sa surprise en deviendrait moins grande:
Du chagrin qui me trouble ils iraient l'avertir,
Et moi-même je veux l'aller faire sortir.

415 Que l'on m'attende ici.

---

1. Me manque.

Scène 3

ALAIN, GEORGETTE

GEORGETTE

Mon Dieu ! qu'il est terrible !
Ses regards m'ont fait peur, mais une peur horrible !
Et jamais je ne vis un plus hideux chrétien.

ALAIN

Ce Monsieur l'a fâché : je te le disais bien.

GEORGETTE

Mais que diantre est-ce là, qu'avec tant de rudesse
Il nous fait au logis garder notre maîtresse ?
420 D'où vient qu'à tout le monde il veut tant la cacher,
Et qu'il ne saurait voir personne en approcher ?

ALAIN

C'est que cette action le met en jalousie.

GEORGETTE

Mais d'où vient qu'il est pris de cette fantaisie ?

ALAIN

425 Cela vient… cela vient de ce qu'il est jaloux.

GEORGETTE

Oui ; mais pourquoi l'est-il ? et pourquoi ce courroux ?

ALAIN

C'est que la jalousie… entends-tu bien, Georgette,
Est une chose… là… qui fait qu'on s'inquiète…

Et qui chasse les gens d'autour d'une maison.
430 Je m'en vais te bailler[1] une comparaison,
Afin de concevoir la chose davantage.
Dis-moi, n'est-il pas vrai, quand tu tiens ton potage,
Que si quelque affamé venait pour en manger,
Tu serais en colère, et voudrais le charger[2] ?

GEORGETTE

435 Oui, je comprends cela.

ALAIN

C'est justement tout comme :
La femme est en effet le potage de l'homme ;
Et quand un homme voit d'autres hommes parfois
Qui veulent dans sa soupe aller tremper leurs doigts,
Il en montre aussitôt une colère extrême.

GEORGETTE

440 Oui ; mais pourquoi chacun n'en fait-il pas de même,
Et que nous en voyons qui paraissent joyeux
Lorsque leurs femmes sont avec les biaux Monsieux.

ALAIN

C'est que chacun n'a pas cette amitié goulue
Qui n'en veut que pour soi.

GEORGETTE

Si je n'ai la berlue,
445 Je le vois qui revient.

ALAIN

Tes yeux sont bons, c'est lui.

---

1. Donner.
2. Attaquer.

GEORGETTE

Vois comme il est chagrin.

ALAIN

C'est qu'il a de l'ennui.

Scène 4

ARNOLPHE, AGNÈS, ALAIN, GEORGETTE

ARNOLPHE

Un certain Grec disait à l'empereur Auguste,
Comme une instruction utile autant que juste,
Que lorsqu'une aventure en colère nous met,
450 Nous devons, avant tout, dire notre alphabet,
Afin que dans ce temps la bile se tempère,
Et qu'on ne fasse rien que l'on ne doive faire.
J'ai suivi sa leçon sur le sujet d'Agnès,
Et je la fais venir en ce lieu tout exprès,
455 Sous prétexte d'y faire un tour de promenade,
Afin que les soupçons de mon esprit malade
Puissent sur le discours la mettre adroitement,
Et lui sondant le cœur s'éclaircir doucement.
Venez, Agnès. Rentrez.

Scène 5

ARNOLPHE, AGNÈS

ARNOLPHE

La promenade est belle.

AGNÈS

460 Fort belle.

ARNOLPHE

Le beau jour !

AGNÈS

Fort beau.

ARNOLPHE

Quelle nouvelle ?

AGNÈS

Le petit chat est mort.

ARNOLPHE

C'est dommage ; mais quoi ?
Nous sommes tous mortels, et chacun est pour soi.
Lorsque j'étais aux champs, n'a-t-il point fait de pluie ?

AGNÈS

Non.

ARNOLPHE

Vous ennuyait-il ?

AGNÈS

Jamais je ne m'ennuie.

ARNOLPHE

465 Qu'avez-vous fait encor ces neuf ou dix jours-ci ?

AGNÈS

Six chemises, je pense, et six coiffes aussi.

ARNOLPHE, *ayant un peu rêvé.*

Le monde, chère Agnès, est une étrange chose.
Voyez la médisance, et comme chacun cause :
Quelques voisins m'ont dit qu'un jeune homme inconnu
470   Était en mon absence à la maison venu,
Que vous aviez souffert sa vue et ses harangues[1] ;
Mais je n'ai point pris foi sur ces méchantes langues,
Et j'ai voulu gager[2] que c'était faussement.

AGNÈS

Mon Dieu, ne gagez pas : vous perdriez vraiment.

ARNOLPHE

475   Quoi ? c'est la vérité qu'un homme… ?

AGNÈS

                        Chose sûre.
Il n'a presque bougé de chez nous, je vous jure.

ARNOLPHE, *à part.*

Cet aveu qu'elle fait avec sincérité
Me marque pour le moins son ingénuité.
Mais il me semble, Agnès, si ma mémoire est bonne,
480   Que j'avais défendu que vous vissiez personne.

AGNÈS

Oui ; mais quand je l'ai vu, vous ignorez pourquoi ;
Et vous en auriez fait, sans doute, autant que moi.

ARNOLPHE

Peut-être. Mais enfin contez-moi cette histoire.

---

1. Discours.
2. Émettre une opinion personnelle qui implique un pari.

AGNÈS

Elle est fort étonnante, et difficile à croire.
485 J'étais sur le balcon à travailler au frais,
Lorsque je vis passer sous les arbres d'auprès[1]
Un jeune homme bien fait, qui, rencontrant ma vue,
D'une humble révérence aussitôt me salue :
Moi pour ne point manquer à la civilité,
490 Je fis la révérence aussi de mon côté.
Soudain il me refait une autre révérence :
Moi, j'en refais de même une autre en diligence[2] ;
Et lui d'une troisième aussitôt repartant,
D'une troisième aussi j'y repars à l'instant.
495 Il passe, vient, repasse, et toujours de plus belle
Me fait à chaque fois révérence nouvelle ;
Et moi, qui tous ces tours fixement regardais,
Nouvelle révérence aussi je lui rendais :
Tant que, si sur ce point la nuit ne fût venue,
500 Toujours comme cela je me serais tenue,
Ne voulant point céder, et recevoir l'ennui
Qu'il me pût estimer moins civile que lui.

ARNOLPHE

Fort bien.

AGNÈS

Le lendemain, étant sur notre porte,
Une vieille m'aborde, en parlant de la sorte :
505 « Mon enfant, le bon Dieu puisse-t-il vous bénir,
Et dans tous vos attraits longtemps vous maintenir !
Il ne vous a pas faite une belle personne
Afin de mal user des choses qu'il vous donne ;

---

1. D'à côté.
2. En hâte.

Et vous devez savoir que vous avez blessé
510 Un cœur qui de s'en plaindre est aujourd'hui forcé.»

ARNOLPHE, *à part.*

Ah! suppôt de Satan! exécrable damnée!

AGNÈS

«Moi, j'ai blessé quelqu'un! fis-je toute étonnée.
— Oui, dit-elle, blessé, mais blessé tout de bon;
Et c'est l'homme qu'hier vous vîtes du balcon.
515 — Hélas, qui[1] pourrait, dis-je, en avoir été cause?
Sur lui, sans y penser, fis-je choir quelque chose?
— Non, dit-elle, vos yeux ont fait ce coup fatal,
Et c'est de leurs regards qu'est venu tout son mal.
— Hé! mon Dieu! ma surprise est, fis-je, sans seconde:
520 Mes yeux ont-ils du mal, pour en donner au monde?
— Oui, fit-elle, vos yeux, pour causer le trépas,
Ma fille, ont un venin que vous ne savez pas.
En un mot, il languit, le pauvre misérable;
Et s'il faut, poursuivit la vieille charitable,
525 Que votre cruauté lui refuse un secours,
C'est un homme à porter en terre dans deux jours.
— Mon Dieu! j'en aurais, dis-je, une douleur bien
    grande.
Mais pour le secourir qu'est-ce qu'il me demande?
— Mon enfant, me dit-elle, il ne veut obtenir
530 Que le bien de vous voir et vous entretenir:
Vos yeux peuvent eux seuls empêcher sa ruine
Et du mal qu'ils ont fait être la médecine.
— Hélas! volontiers, dis-je; et puisqu'il est ainsi,
Il peut, tant qu'il voudra, me venir voir ici.»

---

1. Qu'est-ce qui.

ARNOLPHE, *à part.*

535 Ah! sorcière maudite, empoisonneuse d'âmes,
Puisse l'enfer payer tes charitables trames!

AGNÈS

Voilà comme il me vit, et reçut guérison.
Vous-même, à votre avis, n'ai-je pas eu raison?
Et pouvais-je, après tout, avoir la conscience
540 De le laisser mourir faute d'une assistance,
Moi qui compatis tant aux gens qu'on fait souffrir
Et ne puis, sans pleurer, voir un poulet mourir?

ARNOLPHE, *bas.*

Tout cela n'est parti que d'une âme innocente;
Et j'en dois accuser mon absence imprudente,
545 Qui sans guide a laissé cette bonté de mœurs
Exposée aux aguets des rusés séducteurs.
Je crains que le pendard, dans ses vœux téméraires,
Un peu plus fort que jeu n'ait poussé les affaires.

AGNÈS

Qu'avez-vous? Vous grondez, ce me semble, un petit?
550 Est-ce que c'est mal fait ce que je vous ai dit?

ARNOLPHE

Non. Mais de cette vue apprenez-moi les suites,
Et comme le jeune homme a passé ses visites.

AGNÈS

Hélas! si vous saviez comme il était ravi,
Comme il perdit son mal sitôt que je le vis,
555 Le présent qu'il m'a fait d'une belle cassette,
Et l'argent qu'en ont eu notre Alain et Georgette,
Vous l'aimeriez sans doute et diriez comme nous.

ARNOLPHE

Oui. Mais que faisait-il étant seul avec vous?

AGNÈS

Il jurait qu'il m'aimait d'une amour sans seconde,
560 Et me disait des mots les plus gentils du monde,
Des choses que jamais rien ne peut égaler,
Et dont, toutes les fois que je l'entends parler,
La douceur me chatouille et là-dedans remue
Certain je ne sais quoi dont je suis toute émue.

ARNOLPHE, *à part.*

565 Ô fâcheux examen d'un mystère fatal,
Où l'examinateur souffre seul tout le mal!

À Agnès.

Outre tous ces discours, toutes ces gentillesses,
Ne vous faisait-il point aussi quelques caresses?

AGNÈS

Oh tant! Il me prenait et les mains et les bras,
570 Et de me les baiser il n'était jamais las.

ARNOLPHE

Ne vous a-t-il point pris, Agnès, quelque autre chose?

La voyant interdite.

Ouf!

AGNÈS

Hé il m'a...

ARNOLPHE

Quoi?

AGNÈS

Pris…

ARNOLPHE

Euh !

AGNÈS

Le…

ARNOLPHE

Plaît-il ?

AGNÈS

Je n'ose,
Et vous vous fâcherez peut-être contre moi.

ARNOLPHE

Non.

AGNÈS

Si fait.

ARNOLPHE

Mon Dieu, non !

AGNÈS

Jurez donc votre foi.

ARNOLPHE

575 Ma foi, soit.

AGNÈS

Il m'a pris… Vous serez en colère.

ARNOLPHE

Non.

AGNÈS

Si.

ARNOLPHE

Non, non, non, non. Diantre, que de mystère !
Qu'est-ce qu'il vous a pris ?

AGNÈS

Il…

ARNOLPHE, *à part.*

Je souffre en damné.

AGNÈS

Il m'a pris le ruban que vous m'aviez donné.
À vous dire le vrai, je n'ai pu m'en défendre.

ARNOLPHE, *reprenant haleine.*

580 Passe pour le ruban. Mais je voulais apprendre
S'il ne vous a rien fait que vous baiser les bras.

AGNÈS

Comment ? est-ce qu'on fait d'autres choses ?

ARNOLPHE

Non pas.
Mais pour guérir du mal qu'il dit qui le possède,
N'a-t-il point exigé de vous d'autre remède ?

AGNÈS

585 Non. Vous pouvez juger, s'il en eût demandé,
Que pour le secourir j'aurais tout accordé.

ARNOLPHE

Grâce aux bontés du Ciel, j'en suis quitte à bon compte ;
Si j'y retombe plus, je veux bien qu'on m'affronte[1].
Chut. De votre innocence, Agnès, c'est un effet.
590 Je ne vous en dis mot : ce qui s'est fait est fait.
Je sais qu'en vous flattant le galant ne désire
Que de vous abuser, et puis après s'en rire.

AGNÈS

Oh ! point : il me l'a dit plus de vingt fois à moi.

ARNOLPHE

Ah ! vous ne savez pas ce que c'est que sa foi.
595 Mais enfin apprenez qu'accepter des cassettes,
Et de ces beaux blondins écouter les sornettes,
Que se laisser par eux, à force de langueur,
Baiser ainsi les mains et chatouiller le cœur,
Est un péché mortel des plus gros qu'il se fasse.

AGNÈS

600 Un péché, dites-vous ? Et la raison, de grâce ?

ARNOLPHE

La raison ? La raison est l'arrêt prononcé
Que par ces actions le Ciel est courroucé.

AGNÈS

Courroucé ! Mais pourquoi faut-il qu'il s'en courrouce ?
C'est une chose, hélas ! si plaisante et si douce !
J'admire[2] quelle joie on goûte à tout cela,
605 Et je ne savais point encore ces choses-là.

---

1. Me trompe effrontément.
2. Je découvre avec étonnement.

ARNOLPHE

Oui, c'est un grand plaisir que toutes ces tendresses,
Ces propos si gentils et ces douces caresses;
Mais il faut le goûter en toute honnêteté,
610 Et qu'en se mariant le crime en soit ôté.

AGNÈS

N'est-ce plus un péché lorsque l'on se marie?

ARNOLPHE

Non.

AGNÈS

Mariez-moi donc promptement, je vous prie.

ARNOLPHE

Si vous le souhaitez, je le souhaite aussi,
Et pour vous marier on me revoit ici.

AGNÈS

615 Est-il possible?

ARNOLPHE

Oui.

AGNÈS

Que vous me ferez aise!

ARNOLPHE

Oui, je ne doute point que l'hymen ne vous plaise.

AGNÈS

Vous nous voulez, nous deux...

ARNOLPHE

                    Rien de plus assuré,

AGNÈS

Que, si cela se fait, je vous caresserai !

ARNOLPHE

Hé ! la chose sera de ma part réciproque.

AGNÈS

620 Je ne reconnais point, pour moi, quand on se moque.
Parlez-vous tout de bon ?

ARNOLPHE

                 Oui, vous le pourrez voir.

AGNÈS

Nous serons mariés ?

ARNOLPHE

            Oui.

AGNÈS

               Mais quand ?

ARNOLPHE

                   Dès ce soir.

AGNÈS, *riant*.

Dès ce soir ?

ARNOLPHE

Dès ce soir. Cela vous fait donc rire ?

AGNÈS

Oui.

ARNOLPHE

Vous voir bien contente est ce que je désire.

AGNÈS

625　Hélas ! que je vous ai grande obligation,
Et qu'avec lui j'aurai de satisfaction !

ARNOLPHE

Avec qui ?

AGNÈS

Avec…, là.

ARNOLPHE

Là… : là n'est pas mon compte.
À choisir un mari vous êtes un peu prompte.
C'est un autre, en un mot, que je vous tiens tout prêt,
630　Et quant au monsieur, là, je prétends[1], s'il vous plaît,
Dût le mettre au tombeau le mal dont il vous berce,
Qu'avec lui désormais vous rompiez tout commerce ;
Que, venant au logis, pour votre compliment
Vous lui fermiez au nez la porte honnêtement,
635　Et lui jetant, s'il heurte, un grès[2] par la fenêtre,
L'obligiez tout de bon à ne plus y paraître.
M'entendez-vous, Agnès ? Moi, caché dans un coin.
De votre procédé je serai le témoin.

AGNÈS

Las ! il est si bien fait ! C'est…

_____

1. J'exige.
2. Une pierre.

ARNOLPHE

Ah! que de langage!

AGNÈS

640 Je n'aurai pas le cœur...

ARNOLPHE

Point de bruit davantage.

Montez là-haut.

AGNÈS

Mais quoi? voulez-vous...?

ARNOLPHE

C'est assez.

Je suis maître, je parle: allez, obéissez.

Acte III

Scène première

ARNOLPHE, AGNÈS, ALAIN, GEORGETTE

ARNOLPHE

Oui, tout a bien été, ma joie est sans pareille :
Vous avez là suivi mes ordres à merveille,
645 Confondu de tout point le blondin séducteur,
Et voilà de quoi sert un sage directeur[1].
Votre innocence, Agnès, avait été surprise.
Voyez sans y penser où vous vous étiez mise :
Vous enfiliez tout droit, sans mon instruction,
650 Le grand chemin d'enfer et de perdition.
De tous ces damoiseaux on sait trop les coutumes :
Ils ont de beaux canons[2], force rubans et plumes,
Grands cheveux, belles dents, et des propos fort doux ;
Mais, comme je vous dis, la griffe est là-dessous ;
655 Et ce sont vrais Satans, dont la gueule altérée[3]

---

1. Directeur de conscience.
2. Ornements de dentelles qui s'attachaient au-dessous du
genou.
3. Déguisée, dénaturée.

De l'honneur féminin cherche à faire curée[1].
Mais, encore une fois, grâce au soin apporté,
Vous en êtes sortie avec honnêteté.
L'air dont je vous ai vu lui jeter cette pierre,
660 Qui de tous ses desseins a mis l'espoir par terre,
Me confirme encor mieux à ne point différer
Les noces où je dis qu'il vous faut préparer.
Mais, avant toute chose, il est bon de vous faire
Quelque petit discours qui vous soit salutaire.
665 Un siège au frais ici. Vous, si jamais en rien…

GEORGETTE

De toutes vos leçons nous nous souviendrons bien.
Cet autre monsieur-là nous en faisait accroire ;
Mais…

ALAIN

S'il entre jamais, je veux jamais ne boire[2].
Aussi bien est-ce un sot : il nous a l'autre fois
670 Donné deux écus d'or qui n'étaient pas de poids.

ARNOLPHE

Ayez donc pour souper tout ce que je désire ;
Et pour notre contrat, comme je viens de dire.
Faites venir ici, l'un ou l'autre, au retour,
Le notaire qui loge au coin de ce carfour.

---

1. Morceaux de la bête que l'on laisse aux chiens lors de la chasse.
2. Ne plus jamais boire (une nouvelle déficience syntaxique d'Alain).

Scène 2

ARNOLPHE, AGNÈS

ARNOLPHE, *assis.*

675 Agnès, pour m'écouter, laissez là votre ouvrage.
Levez un peu la tête et tournez le visage :
Là, regardez-moi là durant cet entretien,
Et jusqu'au moindre mot imprimez-le-vous bien.
Je vous épouse, Agnès ; et cent fois la journée
680 Vous devez bénir l'heur[1] de votre destinée,
Contempler la bassesse où vous avez été,
Et dans le même temps admirer ma bonté,
Qui de ce vil état de pauvre villageoise
Vous fait monter au rang d'honorable bourgeoise
685 Et jouir de la couche et des embrassements
D'un homme qui fuyait tous ces engagements,
Et dont à vingt partis, fort capables de plaire,
Le cœur a refusé l'honneur qu'il vous veut faire.
Vous devez toujours, dis-je, avoir devant les yeux
690 Le peu que vous étiez sans ce nœud glorieux,
Afin que cet objet d'autant mieux vous instruise
À mériter l'état où je vous aurai mise,
À toujours vous connaître, et faire qu'à jamais
Je puisse me louer de l'acte que je fais.
695 Le mariage, Agnès, n'est pas un badinage :
À d'austères devoirs le rang de femme engage,
Et vous n'y montez pas, à ce que je prétends,
Pour être libertine[2] et prendre du bon temps.

---

1. Le bonheur.
2. « Qui prend trop de liberté et ne se rend pas assidu à son devoir » (*Dictionnaire de l'Académie française*, 1694).

Votre sexe n'est là que pour la dépendance :
700 Du côté de la barbe est la toute-puissance.
Bien qu'on soit deux moitiés de la société,
Ces deux moitiés pourtant n'ont point d'égalité :
L'une est moitié suprême et l'autre subalterne ;
L'une en tout est soumise à l'autre qui gouverne ;
705 Et ce que le soldat, dans son devoir instruit,
Montre d'obéissance au chef qui le conduit,
Le valet à son maître, un enfant à son père,
À son supérieur le moindre petit Frère[1],
N'approche point encor de la docilité,
710 Et de l'obéissance, et de l'humilité,
Et du profond respect où la femme doit être
Pour son mari, son chef, son seigneur et son maître.
Lorsqu'il jette sur elle un regard sérieux,
Son devoir aussitôt est de baisser les yeux,
715 Et de n'oser jamais le regarder en face
Que quand d'un doux regard il lui veut faire grâce.
C'est ce qu'entendent mal les femmes d'aujourd'hui ;
Mais ne vous gâtez pas sur l'exemple d'autrui.
Gardez-vous d'imiter ces coquettes vilaines
720 Dont par toute la ville on chante les fredaines,
Et de vous laisser prendre aux assauts du malin,
C'est-à-dire d'ouïr aucun jeune blondin.
Songez qu'en vous faisant moitié de ma personne,
C'est mon honneur, Agnès, que je vous abandonne ;
725 Que cet honneur est tendre et se blesse de peu ;
Que sur un tel sujet il ne faut point de jeu ;
Et qu'il est aux enfers des chaudières bouillantes
Où l'on plonge à jamais les femmes mal vivantes.
Ce que je vous dis là ne sont pas des chansons ;
730 Et vous devez du cœur dévorer ces leçons.

------

1. Au couvent, nouvel arrivé qui remplit les tâches domestiques.

Si votre âme les suit, et fuit d'être coquette,
Elle sera toujours, comme un lis, blanche et nette ;
Mais s'il faut qu'à l'honneur elle fasse un faux bond,
Elle deviendra lors noire comme un charbon ;
735 Vous paraîtrez à tous un objet effroyable,
Et vous irez un jour, vrai partage[1] du diable,
Bouillir dans les enfers à toute éternité :
Dont vous veuille garder la céleste bonté !
Faites la révérence. Ainsi qu'une novice[2]
740 Par cœur dans le couvent doit savoir son office[3],
Entrant au mariage il en faut faire autant ;
Et voici dans ma poche un écrit important

Il se lève.

Qui vous enseignera l'office de la femme.
J'en ignore l'auteur, mais c'est quelque bonne âme ;
745 Et je veux que ce soit votre unique entretien.
Tenez. Voyons un peu si vous le lirez bien.

AGNÈS *lit.*

LES MAXIMES DU MARIAGE
OU LES DEVOIRS DE LA FEMME MARIÉE
avec son exercice journalier
Ire maxime

Celle qu'un lien honnête
Fait entrer au lit d'autrui,
Doit se mettre dans la tête,
750   Malgré le train d'aujourd'hui,
Que l'homme qui la prend, ne la prend que pour lui.

---

1. Lot qui revient en héritage.
2. Jeune femme qui vient de prendre l'habit religieux.
3. Ses devoirs.

ARNOLPHE

Je vous expliquerai ce que cela veut dire ;
Mais pour l'heure présente il ne faut rien que lire.

AGNÈS *poursuit.*

IIe maxime

Elle ne se doit parer
755   Qu'autant que peut désirer
Le mari qui la possède :
C'est lui que touche seul le soin de sa beauté ;
Et pour rien doit être compté
Que les autres la trouvent laide.

IIIe maxime

760   Loin ces études d'œillades,
Ces eaux, ces blancs[1], ces pommades,
Et mille ingrédients qui font des teints fleuris :
À l'honneur tous les jours ce sont drogues mortelles ;
Et les soins de paraître belles
765   Se prennent peu pour les maris.

IVe maxime

Sous sa coiffe, en sortant, comme l'honneur l'ordonne
Il faut que de ses yeux elle étouffe les coups,
Car pour bien plaire à son époux,
Elle ne doit plaire à personne.

Ve maxime

770 Hors ceux dont au mari la visite se rend,
La bonne règle défend
De recevoir aucune âme :
Ceux qui, de galante humeur,

---

1. Fards blancs dont les femmes se servent.

N'ont affaire qu'à Madame,
775   N'accommodent pas Monsieur.

VIe maxime

Il faut des présents des hommes
Qu'elle se défende bien ;
Car dans le siècle où nous sommes,
On ne donne rien pour rien.

VIIe maxime

780 Dans ses meubles, dût-elle en avoir de l'ennui,
Il ne faut écritoire [1], encre, papier, ni plumes :
Le mari doit, dans les bonnes coutumes,
Écrire tout ce qui s'écrit chez lui.

VIIIe maxime

Ces sociétés déréglées
785   Qu'on nomme belles assemblées
Des femmes tous les jours corrompent les esprits :
En bonne politique on les doit interdire ;
Car c'est là que l'on conspire
Contre les pauvres maris.

IXe maxime

790 Toute femme qui veut à l'honneur se vouer
Doit se défendre de jouer,
Comme d'une chose funeste
Car le jeu, fort décevant,
Pousse une femme souvent
795   À jouer de tout son reste.

---

1. Petit nécessaire contenant ce qu'il faut pour écrire.

xᵉ maxime

Des promenades du temps,
Ou repas qu'on donne aux champs,
Il ne faut pas qu'elle essaye :
Selon les prudents cerveaux,
800 Le mari, dans ces cadeaux[1],
Est toujours celui qui paye.

XIᵉ maxime...

ARNOLPHE

Vous achèverez seule ; et, pas à pas, tantôt
Je vous expliquerai ces choses comme il faut,
Je me suis souvenu d'une petite affaire :
805 Je n'ai qu'un mot à dire, et ne tarderai guère.
Rentrez, et conservez ce livre chèrement.
Si le notaire vient, qu'il m'attende un moment.

Scène 3

ARNOLPHE

Je ne puis faire mieux que d'en faire ma femme.
Ainsi que je voudrai, je tournerai cette âme ;
810 Comme un morceau de cire entre mes mains elle est,
Et je lui puis donner la forme qui me plaît.
Il s'en est peu fallu que, durant mon absence,
On ne m'ait attrapé par son trop d'innocence ;
Mais il vaut beaucoup mieux, à dire vérité,
815 Que la femme qu'on a pèche de ce côté.
De ces sortes d'erreurs le remède est facile :

---

1. Fêtes, réceptions.

Toute personne simple aux leçons est docile ;
Et si du bon chemin on l'a fait écarter,
Deux mots incontinent[1] l'y peuvent rejeter.
820 Mais une femme habile est bien une autre bête ;
Notre sort ne dépend que de sa seule tête ;
De ce qu'elle s'y met rien ne la fait gauchir[2],
Et nos enseignements ne font là que blanchir[3] :
Son bel esprit lui sert à railler nos maximes,
825 À se faire souvent des vertus de ses crimes,
Et trouver, pour venir à ses coupables fins,
Des détours à duper l'adresse des plus fins.
Pour se parer du coup en vain on se fatigue :
Une femme d'esprit est un diable en intrigue ;
830 Et dès que son caprice a prononcé tout bas
L'arrêt de notre honneur, il faut passer le pas :
Beaucoup d'honnêtes gens en pourraient bien que dire[4]
Enfin, mon étourdi n'aura pas lieu d'en rire.
Par son trop de caquet il a ce qu'il lui faut.
835 Voilà de nos Français l'ordinaire défaut :
Dans la possession d'une bonne fortune,
Le secret est toujours ce qui les importune ;
Et la vanité sotte a pour eux tant d'appas,
Qu'ils se pendraient plutôt que de ne causer pas.
840 Oh ! que les femmes sont du diable bien tentées,
Lorsqu'elles vont choisir ces têtes éventées,
Et que… ! Mais le voici… Cachons-nous toujours bien
Et découvrons un peu quel chagrin est le sien.

---

1. Immédiatement.
2. Changer.
3. Faire des effort inutiles.
4. Pourraient bien le dire.

Scène 4

HORACE, ARNOLPHE

HORACE

Je reviens de chez vous, et le destin me montre
845 Qu'il n'a pas résolu que je vous y rencontre.
Mais j'irai tant de fois, qu'enfin quelque moment...

ARNOLPHE

Hé ! mon Dieu, n'entrons point dans ce vain compli-
    ment[1] :
Rien ne me fâche tant que ces cérémonies ;
Et si l'on m'en croyait, elles seraient bannies.
850 C'est un maudit usage ; et la plupart des gens
Y perdent sottement les deux tiers de leur temps.
Mettons[2] donc sans façons. Hé bien ! vos amourettes ?
Puis-je, seigneur Horace, apprendre où vous en êtes ?
J'étais tantôt distrait par quelque vision ;
855 Mais depuis là-dessus j'ai fait réflexion :
De vos premiers progrès j'admire la vitesse,
Et dans l'événement mon âme s'intéresse.

HORACE

Ma foi, depuis qu'à vous s'est découvert mon cœur,
Il est à mon amour arrivé du malheur.

ARNOLPHE

860 Oh ! oh ! comment cela ?

---

1. Formules de politesse.
2. Mettons notre chapeau (on se découvrait en signe de politesse).

HORACE

La fortune cruelle
A ramené des champs le patron de la belle.

ARNOLPHE

Quel malheur !

HORACE

Et de plus, à mon très grand regret,
Il a su de nous deux le commerce secret.

ARNOLPHE

D'où, diantre, a-t-il sitôt appris cette aventure ?

HORACE

Je ne sais ; mais enfin c'est une chose sûre.
865   Je pensais aller rendre, à mon heure à peu près,
Ma petite visite à ses jeunes attraits,
Lorsque, changeant pour moi de ton et de visage,
Et servante et valet m'ont bouché le passage,
870   Et d'un « Retirez-vous, vous nous importunez »,
M'ont assez rudement fermé la porte au nez.

ARNOLPHE

La porte au nez !

HORACE

Au nez.

ARNOLPHE

La chose est un peu forte.

HORACE

J'ai voulu leur parler au travers de la porte ;
Mais à tous mes propos ce qu'ils ont répondu
875 C'est : « Vous n'entrerez point, Monsieur l'a défendu. »

ARNOLPHE

Ils n'ont donc point ouvert ?

HORACE

     Non. Et de la fenêtre
Agnès m'a confirmé le retour de ce maître,
En me chassant de là d'un ton plein de fierté [1],
Accompagné d'un grès que sa main a jeté.

ARNOLPHE

880 Comment d'un grès ?

HORACE

     D'un grès de taille non petite,
Dont on a par ses mains régalé ma visite.

ARNOLPHE

Diantre ! ce ne sont pas des prunes [2] que cela !
Et je trouve fâcheux l'état où vous voilà.

HORACE

Il est vrai, je suis mal par ce retour funeste.

ARNOLPHE

885 Certes, j'en suis fâché pour vous, je vous proteste [3].

---

1. Cruauté.
2. Ce n'est pas rien (expression populaire).
3. Je vous assure.

HORACE

Cet homme me rompt[1] tout.

ARNOLPHE

Oui. Mais cela n'est rien,
Et de vous raccrocher vous trouverez moyen.

HORACE

Il faut bien essayer, par quelque intelligence[2],
De vaincre du jaloux l'exacte vigilance.

ARNOLPHE

890   Cela vous est facile. Et la fille, après tout,
Vous aime.

HORACE

Assurément.

ARNOLPHE

Vous en viendrez à bout.

HORACE

Je l'espère.

ARNOLPHE

Le grès vous a mis en déroute ;
Mais cela ne doit pas vous étonner.

HORACE

Sans doute,
Et j'ai compris d'abord que mon homme était là,

───────────

1. Met à bas tous mes plans (terme hérité du vocabulaire guerrier).
2. Complicité.

895 Qui, sans se faire voir, conduisait tout cela.
    Mais ce qui m'a surpris, et qui va vous surprendre,
    C'est un autre incident que vous allez entendre ;
    Un trait[1] hardi qu'a fait cette jeune beauté,
    Et qu'on n'attendrait point de sa simplicité[2].
900 Il le faut avouer, l'amour est un grand maître :
    Ce qu'on ne fut jamais il nous enseigne à l'être ;
    Et souvent de nos mœurs l'absolu changement
    Devient, par ses leçons, l'ouvrage d'un moment ;
    De la nature, en nous, il force les obstacles,
905 Et ses effets soudains ont de l'air des miracles ;
    D'un avare à l'instant il fait un libéral,
    Un vaillant d'un poltron, un civil d'un brutal ;
    Il rend agile à tout l'âme la plus pesante[3],
    Et donne de l'esprit à la plus innocente.
910 Oui, ce dernier miracle éclate dans Agnès ;
    Car, tranchant avec moi par ces termes exprès :
    « Retirez-vous : mon âme aux visites renonce ;
    Je sais tous vos discours, et voilà ma réponse »,
    Cette pierre ou ce grès dont vous vous étonniez
915 Avec un mot de lettre est tombée à mes pieds ;
    Et j'admire de voir cette lettre ajustée
    Avec le sens des mots et la pierre jetée.
    D'une telle action n'êtes-vous pas surpris ?
    L'amour sait-il pas l'art d'aiguiser les esprits ?
920 Et peut-on me nier que ses flammes puissantes
    Ne fassent dans un cœur des choses étonnantes ?
    Que dites-vous du tour et de ce mot d'écrit ?
    Euh ! n'admirez-vous point cette adresse d'esprit ?
    Trouvez-vous pas plaisant de voir quel personnage

---

1. Action.
2. Naïveté.
3. L'esprit le plus lourd, le moins habile.

925 A joué mon jaloux dans tout ce badinage[1] ?
Dites.

ARNOLPHE

Oui, fort plaisant.

HORACE

Riez-en donc un peu.

Arnolphe rit d'un ris forcé.

Cet homme, gendarmé[2] d'abord contre mon feu,
Qui chez lui se retranche, et de grès fait parade[3],
Comme si j'y voulais entrer par escalade ;
930 Qui, pour me repousser, dans son bizarre effroi,
Anime du dedans tous ses gens contre moi,
Et qu'abuse à ses yeux, par sa machine[4] même,
Celle qu'il veut tenir dans l'ignorance extrême !
Pour moi, je vous l'avoue, encor que son retour
935 En un grand embarras jette ici mon amour,
Je tiens cela plaisant autant qu'on saurait dire,
Je ne puis y songer sans de bon cœur en rire :
Et vous n'en riez pas assez, à mon avis.

ARNOLPHE, *avec un ris forcé.*

Pardonnez-moi, j'en ris tout autant que je puis.

HORACE

940 Mais il faut qu'en ami je vous montre la lettre.
Tout ce que son cœur sent, sa main a su l'y mettre,

---

1. Plaisante histoire.
2. Mis en colère.
3. Se pare, se protège avec un grès.
4. Jeu sur le double sens du mot, à la fois machine de guerre
et machination.

Mais en termes touchants et tous pleins de bonté,
De tendresse innocente et d'ingénuité,
De la manière enfin que la pure nature
945 Exprime de l'amour la première blessure.

ARNOLPHE, *bas.*

Voilà, friponne, à quoi l'écriture te sert;
Et contre mon dessein l'art t'en fut découvert.

HORACE, *lit.*

« Je veux vous écrire, et je suis bien en peine par où
je m'y prendrai. J'ai des pensées que je désirerais que
vous sussiez; mais je ne sais comment faire pour vous
les dire, et je me défie de mes paroles. Comme je commence à connaître qu'on m'a toujours tenue dans
l'ignorance, j'ai peur de mettre quelque chose qui ne
soit pas bien, et d'en dire plus que je ne devrais. En
vérité, je ne sais ce que vous m'avez fait; mais je sens
que je suis fâchée à mourir de ce qu'on me fait faire
contre vous, que j'aurai toutes les peines du monde
à me passer de vous, et que je serais bien aise d'être à
vous. Peut-être qu'il y a du mal à dire cela; mais enfin
je ne puis m'empêcher de le dire, et je voudrais que
cela se pût faire sans qu'il y en eût. On me dit fort que
tous les jeunes hommes sont des trompeurs, qu'il ne
les faut point écouter, et que tout ce que vous me dites
n'est que pour m'abuser; mais je vous assure que je
n'ai pu encore me figurer cela de vous, et je suis si tou-
chée de vos paroles, que je ne saurais croire qu'elles
soient menteuses. Dites-moi franchement ce qui en
est; car enfin, comme je suis sans malice, vous auriez
le plus grand tort du monde, si vous me trompiez; et je
pense que j'en mourrais de déplaisir. »

ARNOLPHE

Hon ! chienne !

HORACE

Qu'avez-vous ?

ARNOLPHE

Moi ? rien. C'est que je tousse.

HORACE

Avez-vous jamais vu d'expression plus douce ?
950 Malgré les soins maudits d'un injuste pouvoir,
Un plus beau naturel peut-il se faire voir ?
Et n'est-ce pas sans doute un crime punissable
De gâter méchamment ce fonds d'âme admirable,
D'avoir dans l'ignorance et la stupidité
955 Voulu de cet esprit étouffer la clarté ?
L'amour a commencé d'en déchirer le voile ;
Et si, par la faveur de quelque bonne étoile,
Je puis, comme j'espère, à ce franc animal,
Ce traître, ce bourreau, ce faquin, ce brutal…

ARNOLPHE

960 Adieu.

HORACE

Comment, si vite ?

ARNOLPHE

Il m'est dans la pensée,
Venu tout maintenant une affaire pressée.

HORACE

Mais ne sauriez-vous point, comme on la tient de près,
Qui dans cette maison pourrait avoir accès ?

J'en use sans scrupule ; et ce n'est pas merveille
965 Qu'on se puisse, entre amis, servir à la pareille[1].
Je n'ai plus là-dedans que gens pour m'observer ;
Et servante et valet, que je viens de trouver,
N'ont jamais, de quelque air que je m'y sois pu prendre,
Adouci leur rudesse à me vouloir entendre.
970 J'avais pour de tels coups certaine vieille en main,
D'un génie, à vrai dire, au-dessus de l'humain :
Elle m'a dans l'abord servi de bonne sorte ;
Mais depuis quatre jours la pauvre femme est morte.
Ne me pourriez-vous point ouvrir quelque moyen ?

ARNOLPHE

975 Non, vraiment ; et sans moi vous en trouverez bien.

HORACE

Adieu donc. Vous voyez ce que je vous confie.

Scène 5

ARNOLPHE

Comme il faut devant lui que je me mortifie !
Quelle peine à cacher mon déplaisir cuisant !
Quoi ? pour une innocente un esprit si présent !
980 Elle a feint d'être telle à mes yeux, la traîtresse,
Ou le diable à son âme a soufflé cette adresse.
Enfin me voilà mort par ce funeste écrit.
Je vois qu'il a, le traître, empaumé[2] son esprit,

---

1. Se rendre la pareille.
2. S'est rendu maître de.

Qu'à ma suppression il s'est ancré chez elle[1] ;
985 Et c'est mon désespoir et ma peine mortelle.
Je souffre doublement dans le vol de son cœur,
Et l'amour y pâtit aussi bien que l'honneur,
J'enrage de trouver cette place usurpée,
Et j'enrage de voir ma prudence trompée.
990 Je sais que, pour punir son amour libertin,
Je n'ai qu'à laisser faire à son mauvais destin,
Que je serai vengé d'elle par elle-même ;
Mais il est bien fâcheux de perdre ce qu'on aime.
Ciel ! puisque pour un choix j'ai tant philosophé,
995 Faut-il de ses appas m'être si fort coiffé[2] !
Elle n'a ni parents, ni support, ni richesse ;
Elle trahit mes soins, mes bontés, ma tendresse :
Et cependant je l'aime, après ce lâche tour,
Jusqu'à ne me pouvoir passer de cet amour.
1000 Sot, n'as-tu point de honte ? Ah ! je crève, j'enrage,
Et je souffletterais mille fois mon visage.
Je veux entrer un peu, mais seulement pour voir
Quelle est sa contenance[3] après un trait si noir.
Ciel, faites que mon front soit exempt de disgrâce ;
1005 Ou bien, s'il est écrit qu'il faille que j'y passe,
Donnez-moi tout au moins, pour de tels accidents,
La constance qu'on voit à de certaines gens !

---

1. Pour me supprimer, m'évincer, il a pris place dans son esprit.
2. Entiché.
3. Comment elle se comporte.

Acte IV

Scène première

ARNOLPHE

J'ai peine, je l'avoue, à demeurer en place,
Et de mille soucis mon esprit s'embarrasse,
1010 Pour pouvoir mettre un ordre et dedans et dehors
Qui du godelureau¹ rompe tous les efforts.
De quel œil la traîtresse a soutenu ma vue !
De tout ce qu'elle a fait elle n'est point émue ;
Et bien qu'elle me mette à deux doigts du trépas,
1015 On dirait, à la voir, qu'elle n'y touche pas.
Plus en la regardant je la voyais tranquille,
Plus je sentais en moi s'échauffer une bile ;
Et ces bouillants transports dont s'enflammait mon cœur
Y semblaient redoubler mon amoureuse ardeur ;
1020 J'étais aigri, fâché, désespéré contre elle ;
Et cependant jamais je ne la vis si belle,
Jamais ses yeux aux miens n'ont paru si perçants,
Jamais je n'eus pour eux des désirs si pressants ;

---

1. Jeune homme qui fait le joli cœur auprès des femmes (familier).

Et je sens là-dedans qu'il faudra que je crève
1025 Si de mon triste sort la disgrâce s'achève.
Quoi ? j'aurai dirigé son éducation
Avec tant de tendresse et de précaution,
Je l'aurai fait passer chez moi dès son enfance,
Et j'en aurai chéri la plus tendre espérance,
1030 Mon cœur aura bâti sur ses attraits naissants
Et cru la mitonner[1] pour moi durant treize ans,
Afin qu'un jeune fou dont elle s'amourache
Me la vienne enlever jusque sur la moustache[2],
Lorsqu'elle est avec moi mariée à demi !
1035 Non, parbleu ! non, parbleu ! Petit sot, mon ami,
Vous aurez beau tourner : ou j'y perdrai mes peines,
Ou je rendrai, ma foi, vos espérances vaines,
Et de moi tout à fait vous ne vous rirez point.

Scène 2

LE NOTAIRE, ARNOLPHE

LE NOTAIRE

Ah ! le voilà ! Bonjour. Me voici tout à point
1040 Pour dresser le contrat que vous souhaitez faire.

ARNOLPHE, *sans le voir.*

Comment faire ?

LE NOTAIRE

Il le faut dans la forme ordinaire.

---

1. Choyer.
2. À mon nez et à ma barbe.

ARNOLPHE, *sans le voir.*

À mes précautions je veux songer de près.

LE NOTAIRE

Je ne passerai rien contre vos intérêts.

ARNOLPHE, *sans le voir.*

Il se faut garantir de toutes les surprises.

LE NOTAIRE

1045 Suffit qu'entre mes mains vos affaires soient mises.
Il ne vous faudra point, de peur d'être déçu[1],
Quittancer[2] le contrat que vous n'ayez reçu[3].

ARNOLPHE, *sans le voir.*

J'ai peur, si je vais faire éclater quelque chose,
Que de cet incident par la ville on ne cause.

LE NOTAIRE

1050 Hé bien! il est aisé d'empêcher cet éclat,
Et l'on peut en secret faire votre contrat.

ARNOLPHE, *sans le voir.*

Mais comment faudra-t-il qu'avec elle j'en sorte?

LE NOTAIRE

Le douaire[4] se règle au bien qu'on vous apporte.

---

1. Abusé.
2. Reconnaître qu'un débiteur a payé tout ou partie de la somme qu'il devait (terme juridique).
3. Avant que vous n'ayez reçu quelque argent (celui de la dot en l'occurrence).
4. Portion de bien donné à une femme par son mari (terme juridique).

ARNOLPHE, *sans le voir.*

Je l'aime, et cet amour est mon grand embarras.

LE NOTAIRE

1055 On peut avantager une femme en ce cas.

ARNOLPHE, *sans le voir.*

Quel traitement lui faire en pareille aventure ?

LE NOTAIRE

L'ordre est que le futur doit douer[1] la future
Du tiers du dot[2] qu'elle a ; mais cet ordre n'est rien,
Et l'on va plus avant lorsque l'on le veut bien.

ARNOLPHE, *sans le voir.*

1060 Si...

LE NOTAIRE, *Arnolphe l'apercevant.*

Pour le préciput[3], il les regarde ensemble.
Je dis que le futur peut comme bon lui semble
Douer la future.

ARNOLPHE, *l'ayant aperçu.*

Euh ?

LE NOTAIRE

Il peut l'avantager
Lorsqu'il l'aime beaucoup et qu'il veut l'obliger,
Et cela par douaire, ou préfix[4] qu'on appelle,

---

1. Pourvoir, doter.
2. L'emploi du mot au masculin est archaïque déjà au temps de Molière.
3. Avantage prévu pour le survivant et fixé dans le contrat de mariage.
4. Douaire consistant en une somme fixée par le contrat de mariage.

1065 Qui demeure perdu par le trépas d'icelle,
Ou sans retour, qui va de ladite à ses hoirs[1],
Ou coutumier[2], selon les différents vouloirs,
Ou par donation dans le contrat formelle,
Qu'on fait ou pure et simple, ou qu'on fait mutuelle.
1070 Pourquoi hausser le dos? Est-ce qu'on parle en fat[3],
Et que l'on ne sait pas les formes d'un contrat?
Qui me les apprendra? Personne, je présume.
Sais-je pas qu'étant joints, on est par la Coutume
Communs en meubles, biens immeubles et conquêts[4],
1075 À moins que par un acte on y renonce exprès?
Sais-je pas que le tiers du bien de la future
Entre en communauté pour...

ARNOLPHE

            Oui, c'est chose sûre,
Vous savez tout cela; mais qui vous en dit mot?

LE NOTAIRE

Vous, qui me prétendez faire passer pour sot,
1080 En me haussant l'épaule et faisant la grimace.

ARNOLPHE

La peste soit fait l'homme, et sa chienne de face!
Adieu: c'est le moyen de vous faire finir.

LE NOTAIRE

Pour dresser un contrat m'a-t-on pas fait venir?

---

1. Héritiers.
2. Droit non écrit, fixé par la coutume.
3. Comme un sot.
4. Biens acquis en commun pendant le mariage.

ARNOLPHE

Oui, je vous ai mandé[1] ; mais la chose est remise,
1085 Et l'on vous mandera quand l'heure sera prise,
Voyez quel diable d'homme avec son entretien !

LE NOTAIRE

Je pense qu'il en tient[2], et je crois penser bien.

Scène 3

LE NOTAIRE, ALAIN, GEORGETTE, ARNOLPHE

LE NOTAIRE

M'êtes-vous pas venu querir[3] pour votre maître ?

ALAIN

Oui.

LE NOTAIRE

J'ignore pour qui vous le pouvez connaître,
1090 Mais allez de ma part lui dire de ce pas
Que c'est un fou fieffé[4].

GEORGETTE

           Nous n'y manquerons pas.

---

1. Fait venir.
2. Il est fou.
3. Chercher.
4. Se dit de quelqu'un qui a atteint le plus haut degré d'un défaut ou d'un vice. Il se joint à l'injure comme si elle était un fief dont on décore la personne.

Scène 4

ALAIN, GEORGETTE, ARNOLPHE

ALAIN

Monsieur…

ARNOLPHE

Approchez-vous : vous êtes mes fidèles,
Mes bons, mes vrais amis, et j'en sais des nouvelles.

ALAIN

Le notaire…

ARNOLPHE

Laissons, c'est pour quelque autre jour.
1095 On veut à mon honneur jouer d'un mauvais tour ;
Et quel affront pour vous, mes enfants, pourrait-ce être,
Si l'on avait ôté l'honneur à votre maître !
Vous n'oseriez après paraître en nul endroit,
Et chacun, vous voyant, vous montrerait au doigt.
1100 Donc, puisque autant que moi l'affaire vous regarde,
Il faut de votre part faire une telle garde,
Que ce galant ne puisse en aucune façon…

GEORGETTE

Vous nous avez tantôt montré notre leçon.

ARNOLPHE

Mais à ses beaux discours gardez bien de vous rendre.

ALAIN

1105 Oh ! vraiment.

GEORGETTE

Nous savons comme il faut s'en défendre.

ARNOLPHE

S'il venait doucement : « Alain, mon pauvre cœur,
Par un peu de secours soulage ma langueur. »

ALAIN

Vous êtes un sot.

ARNOLPHE

À Georgette.

Bon. « Georgette, ma mignonne,
Tu me parais si douce et si bonne personne. »

GEORGETTE

1110 Vous êtes un nigaud.

ARNOLPHE

À Alain.

Bon. « Quel mal trouves-tu
Dans un dessein honnête et tout plein de vertu ? »

ALAIN

Vous êtes un fripon.

ARNOLPHE

À Georgette.

Fort bien. « Ma mort est sûre,
Si tu ne prends pitié des peines que j'endure. »

GEORGETTE

Vous êtes un benêt, un impudent.

ARNOLPHE

Fort bien.

1115 « Je ne suis pas un homme à vouloir rien pour rien ;
Je sais, quand on me sert, en garder la mémoire ;
Cependant, par avance, Alain, voilà pour boire ;
Et voilà pour t'avoir, Georgette, un cotillon[1].

Ils tendent tous deux la main et prennent l'argent.

Ce n'est de mes bienfaits qu'un simple échantillon.
1120 Toute la courtoisie enfin dont je vous presse,
C'est que je puisse voir votre belle maîtresse. »

GEORGETTE, *le poussant.*

À d'autres.

ARNOLPHE

Bon cela.

ALAIN, *le poussant.*

Hors d'ici.

ARNOLPHE

Bon.

GEORGETTE, *le poussant.*

Mais tôt[2].

ARNOLPHE

Bon. Holà c'est assez.

GEORGETTE

Fais-je pas comme il faut ?

---

1. Un jupon.
2. Vite.

ALAIN

Est-ce de la façon que vous voulez l'entendre ?

ARNOLPHE

1125 Oui, fort bien, hors l'argent, qu'il ne fallait pas prendre.

GEORGETTE

Nous ne nous sommes pas souvenus de ce point.

ALAIN

Voulez-vous qu'à l'instant nous recommencions ?

ARNOLPHE

Point :
Suffit. Rentrez tous deux.

ALAIN

Vous n'avez rien qu'à dire.

ARNOLPHE

Non, vous dis-je ; rentrez, puisque je le désire.
1130 Je vous laisse l'argent. Allez : je vous rejoins.
Ayez bien l'œil à tout, et secondez mes soins.

Scène 5

ARNOLPHE

Je veux, pour espion qui soit d'exacte vue,
Prendre le savetier[1] du coin de notre rue.

---

1. Raccommodeur de vieux souliers.

Dans la maison toujours je prétends la tenir,
1135 Y faire bonne garde, et surtout en bannir
Vendeuses de ruban, perruquières, coiffeuses,
Faiseuses de mouchoirs, gantières, revendeuses,
Tous ces gens qui sous main travaillent chaque jour
À faire réussir les mystères d'amour.
1140 Enfin j'ai vu le monde et j'en sais les finesses.
Il faudra que mon homme ait de grandes adresses
Si message ou poulet[1] de sa part peut entrer.

Scène 6

HORACE, ARNOLPHE

HORACE

La place m'est heureuse à vous y rencontrer
Je viens de l'échapper bien belle, je vous jure.
1145 Au sortir d'avec vous, sans prévoir l'aventure,
Seule dans son balcon j'ai vu paraître Agnès,
Qui des arbres prochains prenait un peu le frais.
Après m'avoir fait signe, elle a su faire en sorte,
Descendant au jardin, de m'en ouvrir la porte ;
1150 Mais à peine tous deux dans sa chambre étions-nous,
Qu'elle a sur les degrés[2] entendu son jaloux ;
Et tout ce qu'elle a pu dans un tel accessoire[3],
C'est de me renfermer dans une grande armoire.
Il est entré d'abord[4] : je ne le voyais pas,
1155 Mais je l'oyais marcher, sans rien dire, à grands pas,

---

1. Billet galant.
2. Les escaliers.
3. Situation difficile, danger.
4. Aussitôt.

Poussant de temps en temps des soupirs pitoyables,
Et donnant quelquefois de grands coups sur les tables,
Frappant un petit chien qui pour lui s'émouvait[1],
Et jetant brusquement les hardes[2] qu'il trouvait,
1160 Il a même cassé, d'une main mutinée,
Des vases dont la belle ornait sa cheminée;
Et sans doute il faut bien qu'à ce becque cornu[3]
Du trait qu'elle a joué quelque jour[4] soit venu.
Enfin, après cent tours, ayant de la manière
1165 Sur ce qui n'en peut mais[5] déchargé sa colère,
Mon jaloux inquiet, sans dire son ennui,
Est sorti de la chambre, et moi de mon étui.
Nous n'avons point voulu, de peur du personnage,
Risquer à nous tenir ensemble davantage:
1170 C'était trop hasarder; mais je dois, cette nuit,
Dans sa chambre un peu tard m'introduire sans bruit.
En toussant par trois fois je me ferai connaître;
Et je dois au signal voir ouvrir la fenêtre,
Dont, avec une échelle, et secondé d'Agnès,
1175 Mon amour tâchera de me gagner l'accès.
Comme à mon seul ami, je veux bien vous l'apprendre:
L'allégresse du cœur s'augmente à la répandre;
Et goûtât-on cent fois un bonheur tout parfait,
On n'en est pas content, si quelqu'un ne le sait.
1180 Vous prendrez part, je pense, à l'heur de mes affaires.
Adieu. Je vais songer aux choses nécessaires.

---

1. S'agitait.
2. Les vêtements.
3. Expression imitée de l'italien, *becco cornuto*, bouc cornu,
c'est-à-dire cocu.
4. Quelque éclaircissement, quelque connaissance.
5. Qui n'y peut rien.

Scène 7

ARNOLPHE

Quoi ? l'astre qui s'obstine à me désespérer
Ne me donnera pas le temps de respirer ?
Coup sur coup je verrai, par leur intelligence,
1185 De mes soins vigilants confondre la prudence ?
Et je serai la dupe, en ma maturité,
D'une jeune innocente et d'un jeune éventé ?
En sage philosophe on m'a vu, vingt années,
Contempler des maris les tristes destinées,
1190 Et m'instruire avec soin de tous les accidents
Qui font dans le malheur tomber les plus prudents ;
Des disgrâces d'autrui profitant dans mon âme,
J'ai cherché les moyens, voulant prendre une femme,
De pouvoir garantir mon front de tous affronts,
1195 Et le tirer de pair¹ d'avec les autres fronts.
Pour ce noble dessein, j'ai cru mettre en pratique
Tout ce que peut trouver l'humaine politique ;
Et comme si du sort il était arrêté
Que nul homme ici-bas n'en serait exempté,
1200 Après l'expérience et toutes les lumières
Que j'ai pu m'acquérir sur de telles matières,
Après vingt ans et plus de méditation
Pour me conduire en tout avec précaution,
De tant d'autres maris j'aurais quitté la trace
1205 Pour me trouver après dans la même disgrâce ?
Ah ! bourreau de destin, vous en aurez menti.
De l'objet qu'on poursuit je suis encor nanti² ;

---

1. Le distinguer.
2. Pourvu.

Si son cœur m'est volé par ce blondin funeste,
J'empêcherai du moins qu'on s'empare du reste,
1210 Et cette nuit, qu'on prend pour le galant exploit,
Ne se passera pas si doucement qu'on croit.
Ce m'est quelque plaisir, parmi tant de tristesse,
Que l'on me donne avis du piège qu'on me dresse,
Et que cet étourdi, qui veut m'être fatal,
1215 Fasse son confident de son propre rival.

Scène 8

CHRYSALDE, ARNOLPHE

CHRYSALDE

Hé bien! souperons-nous avant la promenade?

ARNOLPHE

Non, je jeûne ce soir.

CHRYSALDE

D'où vient cette boutade[1]?

ARNOLPHE

De grâce, excusez-moi: j'ai quelque autre embarras.

CHRYSALDE

Votre hymen résolu ne se fera-t-il pas?

ARNOLPHE

1220 C'est trop s'inquiéter des affaires des autres.

---

1. Brusque changement d'humeur.

CHRYSALDE

Oh! oh! si brusquement! Quels chagrins sont les
  vôtres?
Serait-il point, compère, à votre passion
Arrivé quelque peu de tribulation[1]?
Je le jurerais presque à voir votre visage.

ARNOLPHE

1225 Quoi qu'il m'arrive, au moins aurai-je l'avantage
De ne pas ressembler à de certaines gens
Qui souffrent doucement l'approche des galants.

CHRYSALDE

C'est un étrange fait, qu'avec tant de lumières,
Vous vous effarouchiez toujours sur ces matières,
1230 Qu'en cela vous mettiez le souverain bonheur,
Et ne conceviez point au monde d'autre honneur.
Être avare, brutal, fourbe, méchant et lâche,
N'est rien, à votre avis, auprès de cette tâche;
Et, de quelque façon qu'on puisse avoir vécu,
1235 On est homme d'honneur quand on n'est point cocu.
À le bien prendre au fond, pourquoi voulez-vous croire
Que de ce cas fortuit dépende notre gloire,
Et qu'une âme bien née ait à se reprocher
L'injustice d'un mal qu'on ne peut empêcher?
1240 Pourquoi voulez-vous, dis-je, en prenant une femme,
Qu'on soit digne, à son choix, de louange ou de blâme,
Et qu'on s'aille former un monstre plein d'effroi
De l'affront que nous fait son manquement de foi?
Mettez-vous dans l'esprit qu'on peut du cocuage
1245 Se faire en galant homme une plus douce image,
Que des coups du hasard aucun n'étant garant,

---

1. Tourment.

Cet accident de soi doit être indifférent,
Et qu'enfin tout le mal, quoi que le monde glose,
N'est que dans la façon de recevoir la chose ;
1250 Car, pour se bien conduire en ces difficultés,
Il y faut, comme en tout, fuir les extrémités,
N'imiter pas ces gens un peu trop débonnaires
Qui tirent vanité de ces sortes d'affaires,
De leurs femmes toujours vont citant les galants,
1255 En font partout l'éloge, et prônent leurs talents,
Témoignent avec eux d'étroites sympathies,
Sont de tous leurs cadeaux, de toutes leurs parties,
Et font qu'avec raison les gens sont étonnés
De voir leur hardiesse à montrer là leur nez.
1260 Ce procédé, sans doute, est tout à fait blâmable ;
Mais l'autre extrémité n'est pas moins condamnable.
Si je n'approuve pas ces amis des galants,
Je ne suis pas aussi pour ces gens turbulents
Dont l'imprudent chagrin, qui tempête et qui gronde,
1265 Attire au bruit qu'il fait les yeux de tout le monde,
Et qui, par cet éclat, semblent ne pas vouloir
Qu'aucun puisse ignorer ce qu'ils peuvent avoir.
Entre ces deux partis il en est un honnête,
Où dans l'occasion l'homme prudent s'arrête ;
1270 Et quand on le sait prendre, on n'a point à rougir
Du pis dont une femme avec nous puisse agir.
Quoi qu'on en puisse dire enfin, le cocuage
Sous des traits moins affreux aisément s'envisage ;
Et, comme je vous dis, toute l'habileté
1275 Ne va qu'à le savoir tourner du bon côté.

ARNOLPHE

Après ce beau discours, toute la confrérie [1]
Doit un remercîment à Votre Seigneurie ;

---

1. La confrérie des cocus.

Et quiconque voudra vous entendre parler
Montrera de la joie à s'y voir enrôler.

CHRYSALDE

1280 Je ne dis pas cela, car c'est ce que je blâme ;
Mais, comme c'est le sort qui nous donne une femme,
Je dis que l'on doit faire ainsi qu'au jeu de dés,
Où, s'il ne vous vient pas ce que vous demandez,
Il faut jouer d'adresse, et d'une âme réduite [1]
1285 Corriger le hasard par la bonne conduite.

ARNOLPHE

C'est-à-dire dormir et manger toujours bien,
Et se persuader que tout cela n'est rien.

CHRYSALDE

Vous pensez vous moquer ; mais, à ne vous rien feindre,
Dans le monde je vois cent choses plus à craindre
1290 Et dont je me ferais un bien plus grand malheur
Que de cet accident qui vous fait tant de peur.
Pensez-vous qu'à choisir de deux choses prescrites,
Je n'aimasse pas mieux être ce que vous dites,
Que de me voir mari de ces femmes de bien,
1295 Dont la mauvaise humeur fait un procès sur rien,
Ces dragons de vertu, ces honnêtes diablesses,
Se retranchant toujours sur leurs sages prouesses [2].
Qui, pour un petit tort qu'elles ne nous font pas,
Prennent droit de traiter les gens de haut en bas,
1300 Et veulent, sur le pied de [3] nous être fidèles,
Que nous soyons tenus à tout endurer d'elles ?
Encore un coup, compère, apprenez qu'en effet

---

1. Résignée.
2. Prouesses de sagesse.
3. À raison de, à proportion de.

Le cocuage n'est que ce que l'on le fait,
Qu'on peut le souhaiter pour de certaines causes,
1305 Et qu'il a ses plaisirs comme les autres choses.

ARNOLPHE

Si vous êtes d'humeur à vous en contenter,
Quant à moi, ce n'est pas la mienne d'en tâter ;
Et plutôt que subir une telle aventure…

CHRYSALDE

Mon Dieu ! ne jurez point, de peur d'être parjure.
1310 Si le sort l'a réglé, vos soins sont superflus,
Et l'on ne prendra pas votre avis là-dessus.

ARNOLPHE

Moi, je serais cocu ?

CHRYSALDE

                   Vous voilà bien malade !
Mille gens le sont bien, sans vous faire bravade,
Qui de mine, de cœur, de biens et de maison,
1315 Ne feraient avec vous nulle comparaison.

ARNOLPHE

Et moi, je n'en voudrais avec eux faire aucune.
Mais cette raillerie, en un mot, m'importune :
Brisons là, s'il vous plaît.

CHRYSALDE

                       Vous êtes en courroux.
Nous en saurons la cause. Adieu. Souvenez-vous,
1320 Quoi que sur ce sujet votre honneur vous inspire,
Que c'est être à demi ce que l'on vient de dire,
Que de vouloir jurer qu'on ne le sera pas.

ARNOLPHE

Moi, je le jure encore, et je vais de ce pas
Contre cet accident trouver un bon remède.

Scène 9

ALAIN, GEORGETTE, ARNOLPHE

ARNOLPHE

1325 Mes amis, c'est ici que j'implore votre aide.
Je suis édifié[1] de votre affection ;
Mais il faut qu'elle éclate en cette occasion ;
Et si vous m'y servez selon ma confiance,
Vous êtes assurés de votre récompense.
1330 L'homme que vous savez (n'en faites point de bruit)
Veut, comme je l'ai su, m'attraper cette nuit,
Dans la chambre d'Agnès entrer par escalade ;
Mais il lui faut nous trois dresser une embuscade.
Je veux que vous preniez chacun un bon bâton,
1335 Et, quand il sera près du dernier échelon
(Car dans le temps qu'il faut j'ouvrirai la fenêtre),
Que tous deux, à l'envi[2], vous me chargiez ce traître,
Mais d'un air dont son dos garde le souvenir,
Et qui lui puisse apprendre à n'y plus revenir :
1340 Sans me nommer pourtant en aucune manière,
Ni faire aucun semblant que je serai derrière.
Aurez-vous bien l'esprit de servir mon courroux ?

---

1. Instruit.
2. En rivalisant l'un avec l'autre.

ALAIN

S'il ne tient qu'à frapper, mon Dieu! tout est à nous:
Vous verrez, quand je bats, si j'y vais de main morte.

GEORGETTE

1345 La mienne, quoique aux yeux elle semble moins forte,
N'en quitte pas sa part à le bien étriller[1].

ARNOLPHE

Rentrez donc; et surtout gardez de babiller[2].
Voilà pour le prochain une leçon utile;
Et si tous les maris qui sont en cette ville
1350 De leurs femmes ainsi recevaient le galant,
Le nombre des cocus ne serait pas si grand.

---

1. Battre.
2. Bavarder à tort et à travers.

Acte V

Scène première

ALAIN, GEORGETTE, ARNOLPHE

ARNOLPHE

Traîtres, qu'avez-vous fait par cette violence ?

ALAIN

Nous vous avons rendu, Monsieur, obéissance.

ARNOLPHE

De cette excuse en vain vous voulez vous armer :
1355 L'ordre était de le battre, et non de l'assommer ;
Et c'était sur le dos, et non pas sur la tête,
Que j'avais commandé qu'on fît choir la tempête.
Ciel ! dans quel accident me jette ici le sort !
Et que puis-je résoudre à voir cet homme mort ?
1360 Rentrez dans la maison, et gardez de[1] rien dire
De cet ordre innocent que j'ai pu vous prescrire.
Le jour s'en va paraître, et je vais consulter[2]

---

1. Gardez-vous de.
2. Examiner.

Comment dans ce malheur je me dois comporter.
Hélas! que deviendrai-je? et que dira le père,
1365 Lorsque inopinément il saura cette affaire?

Scène 2

HORACE, ARNOLPHE

HORACE

Il faut que j'aille un peu reconnaître qui c'est.

ARNOLPHE

Eût-on jamais prévu... Qui va là, s'il vous plaît?

HORACE

C'est vous, Seigneur Arnolphe?

ARNOLPHE

                      Oui. Mais vous?...

HORACE

                      C'est Horace.
Je m'en allais chez vous, vous prier d'une grâce.
1370 Vous sortez bien matin!

ARNOLPHE, bas.

                  Quelle confusion!
Est-ce un enchantement? est-ce une illusion?

HORACE

J'étais, à dire vrai, dans une grande peine,
Et je bénis du Ciel la bonté souveraine

Qui fait qu'à point nommé je vous rencontre ainsi.
1375 Je viens vous avertir que tout a réussi,
Et même beaucoup plus que je n'eusse osé dire,
Et par un incident qui devait tout détruire.
Je ne sais point par où l'on a pu soupçonner
Cette assignation[1] qu'on m'avait su donner ;
1380 Mais, étant sur le point d'atteindre à la fenêtre,
J'ai, contre mon espoir, vu quelques gens paraître,
Qui, sur moi brusquement levant chacun le bras,
M'ont fait manquer le pied et tomber jusqu'en bas.
Et ma chute, aux dépens de[2] quelque meurtrissure,
1385 De vingt coups de bâton m'a sauvé l'aventure.
Ces gens-là, dont était, je pense, mon jaloux,
Ont imputé ma chute à l'effort de leurs coups ;
Et, comme la douleur, un assez long espace,
M'a fait sans remuer demeurer sur la place,
1390 Ils ont cru tout de bon qu'ils m'avaient assommé,
Et chacun d'eux s'en est aussitôt alarmé.
J'entendais tout leur bruit dans le profond silence,
L'un l'autre ils s'accusaient de cette violence
Et sans lumière aucune, en querellant le sort,
1395 Sont venus doucement tâter si j'étais mort :
Je vous laisse à penser si, dans la nuit obscure,
J'ai d'un vrai trépassé su tenir la figure.
Ils se sont retirés avec beaucoup d'effroi ;
Et comme je songeais à me retirer, moi,
1400 De cette feinte mort la jeune Agnès émue
Avec empressement est devers moi venue ;
Car les discours qu'entre eux ces gens avaient tenus
Jusques à son oreille étaient d'abord venus,
Et pendant tout ce trouble étant moins observée,
1405 Du logis aisément elle s'était sauvée ;

---

1. Rendez-vous.
2. Au prix de.

Mais me trouvant sans mal, elle a fait éclater
Un transport difficile à bien représenter.
Que vous dirai-je? Enfin cette aimable personne
A suivi les conseils que son amour lui donne,
1410 N'a plus voulu songer à retourner chez soi,
Et de tout son destin s'est commise[1] à ma foi.
Considérez un peu, par ce trait d'innocence,
Où l'expose d'un fou la haute impertinence[2],
Et quels fâcheux périls elle pourrait courir,
1415 Si j'étais maintenant homme à la moins chérir.
Mais d'un trop pur amour mon âme est embrasée;
J'aimerais mieux mourir que l'avoir abusée;
Je lui vois des appas dignes d'un autre sort,
Et rien ne m'en saurait séparer que la mort.
1420 Je prévois là-dessus l'emportement d'un père;
Mais nous prendrons le temps d'apaiser sa colère.
À des charmes si doux je me laisse emporter,
Et dans la vie enfin il se faut contenter[3].
Ce que je veux de vous, sous un secret fidèle,
1425 C'est que je puisse mettre en vos mains cette belle,
Que dans votre maison, en faveur de mes feux,
Vous lui donniez retraite au moins un jour ou deux.
Outre qu'aux yeux du monde il faut cacher sa fuite,
Et qu'on en pourra faire une exacte poursuite,
1430 Vous savez qu'une fille aussi de sa façon
Donne avec un jeune homme un étrange soupçon;
Et comme c'est à vous, sûr de votre prudence,
Que j'ai fait de mes feux entière confidence,
C'est à vous seul aussi, comme ami généreux,
1435 Que je puis confier ce dépôt amoureux.

---

1. S'est remise.
2. Sottise.
3. Se rendre content.

ARNOLPHE

Je suis, n'en doutez point, tout à votre service.

HORACE

Vous voulez bien me rendre un si charmant office ?

ARNOLPHE

Très volontiers, vous dis-je ; et je me sens ravir
De cette occasion que j'ai de vous servir,
1440 Je rends grâces au Ciel de ce qu'il me l'envoie,
Et n'ai jamais rien fait avec si grande joie.

HORACE

Que je suis redevable à toutes vos bontés !
J'avais de votre part craint des difficultés ;
Mais vous êtes du monde, et dans votre sagesse
1445 Vous savez excuser le feu de la jeunesse.
Un de mes gens la garde au coin de ce détour.

ARNOLPHE

Mais comment ferons-nous ? car il fait un peu jour ;
Si je la prends ici, l'on me verra peut-être ;
Et s'il faut que chez moi vous veniez à paraître,
1450 Des valets causeront. Pour jouer au plus sûr,
Il faut me l'amener dans un lieu plus obscur.
Mon allée est commode, et je l'y vais attendre.

HORACE

Ce sont précautions qu'il est fort bon de prendre.
Pour moi, je ne ferai que vous la mettre en main,
1455 Et chez moi, sans éclat, je retourne soudain.

ARNOLPHE, *seul.*

Ah ! fortune, ce trait d'aventure propice
Répare tous les maux que m'a faits ton caprice !

Scène 3

AGNÈS, HORACE, ARNOLPHE

HORACE

Ne soyez point en peine où je vais vous mener :
C'est un logement sûr que je vous fais donner.
1460 Vous loger avec moi, ce serait tout détruire :
Entrez dans cette porte et laissez-vous conduire.

> *Arnolphe lui prend la main sans qu'elle le reconnaisse.*

AGNÈS

Pourquoi me quittez-vous ?

HORACE

Chère Agnès, il le faut.

AGNÈS

Songez donc, je vous prie, à revenir bientôt.

HORACE

J'en suis assez pressé par ma flamme amoureuse.

AGNÈS

1465 Quand je ne vous vois point, je ne suis point joyeuse.

HORACE

Hors de votre présence, on me voit triste aussi.

AGNÈS

Hélas ! s'il était vrai, vous resteriez ici.

HORACE

Quoi ? vous pourriez douter de mon amour extrême !

AGNÈS

Non, vous ne m'aimez pas autant que je vous aime.

Arnolphe la tire.

1470 Ah ! l'on me tire trop.

HORACE

C'est qu'il est dangereux,
Chère Agnès, qu'en ce lieu nous soyons vus tous deux ;
Et le parfait ami de qui la main vous presse
Suit le zèle prudent qui pour nous l'intéresse.

AGNÈS

Mais suivre un inconnu que…

HORACE

N'appréhendez rien :
1475 Entre de telles mains vous ne serez que bien.

AGNÈS

Je me trouverais mieux entre celles d'Horace.
Et j'aurais…

À Arnolphe qui la tire encore.

Attendez.

HORACE

Adieu : le jour me chasse.

AGNÈS

Quand vous verrai-je donc ?

HORACE

Bientôt. Assurément.

AGNÈS

Que je vais m'ennuyer jusques à ce moment !

HORACE

1480 Grâce au Ciel, mon bonheur n'est plus en concurrence [1],
Et je puis maintenant dormir en assurance.

Scène 4

ARNOLPHE, AGNÈS

ARNOLPHE, *le nez dans son manteau.*

Venez, ce n'est pas là que je vous logerai,
Et votre gîte ailleurs est par moi préparé :
Je prétends en lieu sûr mettre votre personne.
1485 Me connaissez-vous ?

AGNÈS, *le reconnaissant.*

Hay !

ARNOLPHE

Mon visage, friponne,
Dans cette occasion rend vos sens effrayés,
Et c'est à contrecœur qu'ici vous me voyez.
Je trouble en ses projets l'amour qui vous possède.

Agnès regarde si elle ne verra point Horace.

_____

1. Exposé à la concurrence.

N'appelez point des yeux le galant à votre aide :
1490 Il est trop éloigné pour vous donner secours.
Ah ! ah ! si jeune encor, vous jouez de ces tours !
Votre simplicité, qui semble sans pareille,
Demande si l'on fait les enfants par l'oreille ;
Et vous savez donner des rendez-vous la nuit,
1495 Et pour suivre un galant vous évader sans bruit !
Tudieu ! comme avec lui votre langue cajole[1] !
Il faut qu'on vous ait mise à quelque bonne école.
Qui diantre tout d'un coup vous en a tant appris ?
Vous ne craignez donc plus de trouver des esprits ?
1500 Et ce galant, la nuit, vous a donc enhardie ?
Ah ! coquine, en venir à cette perfidie ?
Malgré tous mes bienfaits former un tel dessein !
Petit serpent que j'ai réchauffé dans mon sein,
Et qui, dès qu'il se sent, par une humeur ingrate,
1505 Cherche à faire du mal à celui qui le flatte !

AGNÈS

Pourquoi me criez-vous ?

ARNOLPHE

                J'ai grand tort en effet !

AGNÈS

Je n'entends point de mal dans tout ce que j'ai fait.

ARNOLPHE

Suivre un galant n'est pas une action infâme ?

AGNÈS

C'est un homme qui dit qu'il me veut pour sa femme ;
1510 J'ai suivi vos leçons, et vous m'avez prêché
Qu'il se faut marier pour ôter le péché.

---

1. Bavarde agréablement.

ARNOLPHE

Oui. Mais pour femme, moi je prétendais vous prendre;
Et je vous l'avais fait, me semble, assez entendre.

AGNÈS

Oui. Mais, à vous parler franchement entre nous,
1515 Il est plus pour cela selon mon goût que vous.
Chez vous le mariage est fâcheux et pénible,
Et vos discours en font une image terrible;
Mais, las! il le fait, lui, si rempli de plaisirs,
Que de se marier il donne des désirs.

ARNOLPHE

1520 Ah! c'est que vous l'aimez, traîtresse!

AGNÈS

Oui, je l'aime.

ARNOLPHE

Et vous avez le front de le dire à moi-même!

AGNÈS

Et pourquoi, s'il est vrai, ne le dirais-je pas?

ARNOLPHE

Le deviez-vous aimer, impertinente?

AGNÈS

Hélas!
Est-ce que j'en puis mais? Lui seul en est la cause;
1525 Et je n'y songeais pas lorsque se fit la chose.

ARNOLPHE

Mais il fallait chasser cet amoureux désir.

AGNÈS

Le moyen de chasser ce qui fait du plaisir?

ARNOLPHE

Et ne saviez-vous pas que c'était me déplaire?

AGNÈS

Moi? point du tout. Quel mal cela vous peut-il faire?

ARNOLPHE

1530 Il est vrai, j'ai sujet d'en être réjoui.
Vous ne m'aimez donc pas, à ce compte?

AGNÈS

Vous?

ARNOLPHE

Oui.

AGNÈS

Hélas! non.

ARNOLPHE

Comment, non!

AGNÈS

Voulez-vous que je mente?

ARNOLPHE

Pourquoi ne m'aimer pas, Madame l'impudente?

AGNÈS

Mon Dieu, ce n'est pas moi que vous devez blâmer:
1535 Que ne vous êtes-vous, comme lui, fait aimer?
Je ne vous en ai pas empêché, que je pense.

ARNOLPHE

Je me suis efforcé de toute ma puissance;
Mais les soins que j'ai pris, je les ai perdus tous.

AGNÈS

Vraiment, il en sait donc là-dessus plus que vous;
1540 Car à se faire aimer il n'a point eu de peine.

ARNOLPHE

Voyez comme raisonne et répond la vilaine!
Peste! une précieuse en dirait-elle plus?
Ah! je l'ai mal connue; ou, ma foi! là-dessus
Une sotte en sait plus que le plus habile homme.
1545 Puisqu'en raisonnement votre esprit se consomme[1],
La belle raisonneuse, est-ce qu'un si long temps
Je vous aurai pour lui nourrie à mes dépens?

AGNÈS

Non. Il vous rendra tout jusques au dernier double[2].

ARNOLPHE

Elle a de certains mots où mon dépit redouble.
1550 Me rendra-t-il, coquine, avec tout son pouvoir,
Les obligations que vous pouvez m'avoir?

AGNÈS

Je ne vous en ai pas d'aussi grandes qu'on pense.

ARNOLPHE

N'est-ce rien que les soins d'élever votre enfance?

---

1. S'affine, se perfectionne.
2. Double denier (expression correspondant à la formule
actuelle «jusqu'au dernier centime»).

AGNÈS

Vous avez là-dedans bien opéré vraiment,
1555 Et m'avez fait en tout instruire joliment !
Croit-on que je me flatte[1], et qu'enfin, dans ma tête,
Je ne juge pas bien que je suis une bête ?
Moi-même, j'en ai honte ; et, dans l'âge où je suis,
Je ne veux plus passer pour sotte, si je puis.

ARNOLPHE

1560 Vous fuyez l'ignorance, et voulez, quoi qu'il coûte,
Apprendre du blondin quelque chose ?

AGNÈS

                        Sans doute.
C'est de lui que je sais ce que je puis savoir :
Et beaucoup plus qu'à vous je pense lui devoir.

ARNOLPHE

Je ne sais qui me tient qu'avec une gourmade[2]
1565 Ma main de ce discours ne venge la bravade.
J'enrage quand je vois sa piquante froideur,
Et quelques coups de poing satisferaient mon cœur.

AGNÈS

Hélas ! vous le pouvez, si cela peut vous plaire.

ARNOLPHE

Ce mot, et ce regard désarme ma colère,
1570 Et produit un retour de tendresse de cœur,
Qui de son action m'efface la noirceur.
Chose étrange d'aimer, et que pour ces traîtresses

---

1. S'abuser, vivre dans l'illusion.
2. Coup de poing.

Les hommes soient sujets à de telles faiblesses !
Tout le monde connaît leur imperfection :
1575 Ce n'est qu'extravagance et qu'indiscrétion ;
Leur esprit est méchant, et leur âme fragile ;
Il n'est rien de plus faible et de plus imbécile[1],
Rien de plus infidèle ; et malgré tout cela,
Dans le monde on fait tout pour ces animaux-là.
1580 Hé bien ! faisons la paix. Va, petite traîtresse,
Je te pardonne tout et te rends ma tendresse.
Considère par-là l'amour que j'ai pour toi,
Et me voyant si bon, en revanche aime-moi.

AGNÈS

Du meilleur de mon cœur je voudrais vous com-
plaire :
1585 Que me coûterait-il, si je le pouvais faire ?

ARNOLPHE

Mon pauvre petit bec[2], tu le peux, si tu veux.

Il fait un soupir.

Écoute seulement ce soupir amoureux,
Vois ce regard mourant, contemple ma personne,
Et quitte ce morveux et l'amour qu'il te donne.
1590 C'est quelque sort qu'il faut qu'il ait jeté sur toi,
Et tu seras cent fois plus heureuse avec moi.
Ta forte passion est d'être brave et leste[3] :
Tu le seras toujours, va, je te le proteste,
Sans cesse, nuit et jour, je te caresserai,
1595 Je te bouchonnerai[4], baiserai, mangerai ;

---

1. Qui manque de force.
2. Terme affectueux et familier.
3. Élégante.
4. Cajolerai (familier).

Tout comme tu voudras, tu pourras te conduire :
Je ne m'explique point, et cela, c'est tout dire.

À part.

Jusqu'où la passion peut-elle faire aller !
Enfin à mon amour rien ne peut s'égaler :
1600 Quelle preuve veux-tu que je t'en donne, ingrate ?
Me veux-tu voir pleurer ? Veux-tu que je me batte ?
Veux-tu que je m'arrache un côté de cheveux ?
Veux-tu que je me tue ? Oui, dis si tu le veux :
Je suis tout prêt, cruelle, à te prouver ma flamme.

AGNÈS

1605 Tenez, tous vos discours ne me touchent point l'âme :
Horace avec deux mots en ferait plus que vous.

ARNOLPHE

Ah ! c'est trop me braver, trop pousser mon courroux.
Je suivrai mon dessein, bête trop indocile.
Et vous dénicherez¹ à l'instant de la ville.
1610 Vous rebutez mes vœux et me mettez à bout ;
Mais un cul de couvent² me vengera de tout.

Scène 5

ALAIN, ARNOLPHE

ALAIN

Je ne sais ce que c'est, Monsieur, mais il me semble
Qu'Agnès et le corps mort s'en sont allés ensemble.

---

1. Partirez (familier).
2. Le fin fond d'un couvent (expression copiée sur le « cul-de-basse-fosse » de la prison).

ARNOLPHE

La voici. Dans ma chambre allez me la nicher[1] :
1615 Ce ne sera pas là qu'il la viendra chercher ;
Et puis, c'est seulement pour une demi-heure :
Je vais, pour lui donner une sûre demeure,
Trouver une voiture. Enfermez-vous des mieux,
Et surtout gardez-vous de la quitter des yeux.
1620 Peut-être que son âme, étant dépaysée,
Pourra de cet amour être désabusée.

Scène 6

ARNOLPHE, HORACE

HORACE

Ah ! je viens vous trouver, accablé de douleur.
Le Ciel, Seigneur Arnolphe, a conclu[2] mon malheur ;
Et par un trait fatal d'une injustice extrême,
1625 On me veut arracher de la beauté que j'aime.
Pour arriver ici mon père a pris le frais[3] ;
J'ai trouvé qu'il mettait pied à terre ici près ;
Et la cause, en un mot, d'une telle venue,
Qui, comme je disais, ne m'était pas connue,
1630 C'est qu'il m'a marié sans m'en récrire[4] rien,
Et qu'il vient en ces lieux célébrer ce lien.
Jugez, en prenant part à mon inquiétude,
S'il pouvait m'arriver un contretemps plus rude
Cet Enrique, dont hier je m'informais à vous,

---

1. Cacher (familier).
2. Arrêté, résolu.
3. A attendu que la fraîcheur tombe.
4. Écrire à nouveau.

1635 Cause tout le malheur dont je ressens les coups,
Il vient avec mon père achever ma ruine,
Et c'est sa fille unique à qui l'on me destine.
J'ai, dès leurs premiers mots, pensé m'évanouir ;
Et d'abord, sans vouloir plus longtemps les ouïr,
1640 Mon père ayant parlé de vous rendre visite,
L'esprit plein de frayeur je l'ai devancé vite.
De grâce, gardez-vous de lui rien découvrir
De mon engagement qui le pourrait aigrir ;
Et tâchez, comme en vous il prend grande créance[1],
1645 De le dissuader de cette autre alliance.

ARNOLPHE

Oui-da.

HORACE

Conseillez-lui de différer un peu,
Et rendez, en ami, ce service à mon feu.

ARNOLPHE

Je n'y manquerai pas.

HORACE

C'est en vous que j'espère.

ARNOLPHE

Fort bien.

HORACE

Et je vous tiens mon véritable père.
1650 Dites-lui que mon âge... Ah ! je le vois venir :
Écoutez les raisons que je vous puis fournir.

Ils demeurent en un coin du théâtre.

---

1. Confiance.

Scène 7

ENRIQUE, ORONTE, CHRYSALDE, HORACE, ARNOLPHE

ENRIQUE, *à Chrysalde*.

Aussitôt qu'à mes yeux je vous ai vu paraître,
Quand on ne m'eût rien dit, j'aurais su vous connaître.
Je vous vois tous les traits de cette aimable sœur
1655 Dont l'hymen autrefois m'avait fait possesseur ;
Et je serais heureux si la Parque[1] cruelle
M'eût laissé ramener cette épouse fidèle,
Pour jouir avec moi des sensibles douceurs
De revoir tous les siens après nos longs malheurs.
1660 Mais puisque du destin la fatale puissance
Nous prive pour jamais de sa chère présence,
Tâchons de nous résoudre, et de nous contenter
Du seul fruit amoureux qui m'en est pu rester.
Il vous touche de près ; et, sans votre suffrage,
1665 J'aurais tort de vouloir disposer de ce gage.
Le choix du fils d'Oronte est glorieux de soi ;
Mais il faut que ce choix vous plaise comme à moi.

CHRYSALDE

C'est de mon jugement avoir mauvaise estime
Que douter si j'approuve un choix si légitime.

ARNOLPHE, *à Horace*

1670 Oui, je vais vous servir de la bonne façon.

---

1. Divinité qui file le destin des hommes.

HORACE

Gardez, encor un coup…

ARNOLPHE

N'ayez aucun soupçon.

ORONTE, *à Arnolphe.*

Ah! que cette embrassade est pleine de tendresse!

ARNOLPHE

Que je sens à vous voir une grande allégresse!

ORONTE

Je suis ici venu…

ARNOLPHE

Sans m'en faire récit
1675 Je sais ce qui vous mène.

ORONTE

On vous l'a déjà dit.

ARNOLPHE

Oui.

ORONTE

Tant mieux.

ARNOLPHE

Votre fils à cet hymen résiste,
Et son cœur prévenu n'y voit rien que de triste:
Il m'a même prié de vous en détourner;
Et moi, tout le conseil que je vous puis donner,
1680 C'est de ne pas souffrir que ce nœud se diffère,

Et de faire valoir l'autorité de père.
Il faut avec vigueur ranger[1] les jeunes gens,
Et nous faisons contre eux[2] à leur être indulgents.

HORACE

Ah! traître!

CHRYSALDE

      Si son cœur a quelque répugnance,
1685 Je tiens qu'on ne doit pas lui faire violence.
Mon frère, que je crois, sera de mon avis.

ARNOLPHE

Quoi? se laissera-t-il gouverner par son fils?
Est-ce que vous voulez qu'un père ait la mollesse
De ne savoir pas faire obéir la jeunesse?
1690 Il serait beau vraiment qu'on le vît aujourd'hui
Prendre loi de qui doit la recevoir de lui!
Non, non: c'est mon intime, et sa gloire est la mienne:
Sa parole est donnée, il faut qu'il la maintienne,
Qu'il fasse voir ici de fermes sentiments,
1695 Et force de son fils tous les attachements.

ORONTE

C'est parler comme il faut, et, dans cette alliance,
C'est moi qui vous réponds de son obéissance.

CHRYSALDE, à Arnolphe.

Je suis surpris, pour moi, du grand empressement
Que vous me faites voir pour cet engagement,
1700 Et ne puis deviner quel motif vous inspire…

---

1. Ramener à leur devoir.
2. Nous agissons contre leur intérêt.

ARNOLPHE

Je sais ce que je fais, et dis ce qu'il faut dire.

ORONTE

Oui, oui, Seigneur Arnolphe, il est...

CHRYSALDE

Ce nom l'aigrit ;
C'est Monsieur de la Souche, on vous l'a déjà dit.

ARNOLPHE

Il n'importe.

HORACE

Qu'entends-je !

ARNOLPHE, *se retournant vers Horace.*

Oui, c'est là le mystère,
1705 Et vous pouvez juger ce que je devais faire.

HORACE

En quel trouble...

Scène 8

GEORGETTE, ENRIQUE, ORONTE, CHRYSALDE,
HORACE, ARNOLPHE

GEORGETTE

Monsieur, si vous n'êtes auprès,
Nous aurons de la peine à retenir Agnès ;

Elle veut à tous coups s'échapper, et peut-être
Qu'elle se pourrait bien jeter par la fenêtre.

ARNOLPHE

1710 Faites-la-moi venir ; aussi bien de ce pas
Prétends-je l'emmener ; ne vous en fâchez pas.
Un bonheur continu rendrait l'homme superbe[1] ;
Et chacun a son tour, comme dit le proverbe.

HORACE

Quels maux peuvent, ô Ciel ! égaler mes ennuis !
1715 Et s'est-on jamais vu dans l'abîme où je suis !

ARNOLPHE, *à Oronte.*

Pressez vite le jour de la cérémonie :
J'y prends part, et déjà moi-même je m'en prie[2] !

ORONTE

C'est bien notre dessein.

Scène 9

AGNÈS, ALAIN, GEORGETTE, ORONTE,
ENRIQUE, ARNOLPHE, HORACE, CHRYSALDE.

ARNOLPHE

Venez, belle, venez,
Qu'on ne saurait tenir, et qui vous mutinez.
1720 Voici votre galant, à qui, pour récompense,
Vous pouvez faire une humble et douce révérence.

_____

1. Orgueilleux.
2. Je m'y invite.

Adieu. L'événement trompe un peu vos souhaits ;
Mais tous les amoureux ne sont pas satisfaits.

AGNÈS

Me laissez-vous, Horace, emmener de la sorte ?

HORACE

1725 Je ne sais où j'en suis, tant ma douleur est forte.

ARNOLPHE

Allons, causeuse, allons.

AGNÈS

Je veux rester ici.

ORONTE

Dites-nous ce que c'est que ce mystère-ci.
Nous nous regardons tous, sans le pouvoir comprendre.

ARNOLPHE

Avec plus de loisir je pourrai vous l'apprendre.
1730 Jusqu'au revoir.

ORONTE

Où donc prétendez-vous aller ?
Vous ne nous parlez point comme il nous faut parler.

ARNOLPHE

Je vous ai conseillé, malgré tout son murmure,
D'achever l'hyménée.

ORONTE

Oui. Mais pour le conclure,
Si l'on vous a dit tout, ne vous a-t-on pas dit

1735 Que vous avez chez vous celle dont il s'agit,
La fille qu'autrefois de l'aimable Angélique,
Sous des liens secrets, eut le seigneur Enrique?
Sur quoi votre discours était-il donc fondé?

CHRYSALDE

Je m'étonnais aussi de voir son procédé.

ARNOLPHE

1740 Quoi?...

CHRYSALDE

D'un hymen secret ma sœur eut une fille,
Dont on cacha le sort à toute la famille.

ORONTE

Et qui sous de feints noms, pour ne rien découvrir,
Par son époux aux champs fut donnée à nourrir.

CHRYSALDE

Et dans ce temps, le sort, lui déclarant la guerre,
1745 L'obligea de sortir de sa natale terre.

ORONTE

Et d'aller essuyer mille périls divers
Dans ces lieux séparés de nous par tant de mers.

CHRYSALDE

Où ses soins ont gagné ce que dans sa patrie
Avaient pu lui ravir l'imposture et l'envie.

ORONTE

1750 Et de retour en France, il a cherché d'abord,
Celle à qui de sa fille il confia le sort.

CHRYSALDE

Et cette paysanne a dit avec franchise
Qu'en vos mains à quatre ans elle l'avait remise.

ORONTE

Et qu'elle l'avait fait sur votre charité[1],
1755 Par[2] un accablement d'extrême pauvreté.

CHRYSALDE

Et lui, plein de transport et l'allégresse en l'âme,
A fait jusqu'en ces lieux conduire cette femme.

ORONTE

Et vous allez enfin la voir venir ici,
Pour rendre aux yeux de tous ce mystère éclairci.

CHRYSALDE

1760 Je devine à peu près quel est votre supplice;
Mais le sort en cela ne vous est que propice:
Si n'être point cocu vous semble un si grand bien,
Ne vous point marier en est le vrai moyen.

ARNOLPHE, *s'en allant tout transporté,*
et ne pouvant parler.

Oh!

ORONTE

D'où vient qu'il s'enfuit sans rien dire?

HORACE

Ah! mon père,
1765 Vous saurez pleinement ce surprenant mystère.

---

1. En se reposant sur votre charité.
2. À cause de.

Le hasard en ces lieux avait exécuté
Ce que votre sagesse avait prémédité :
J'étais par les doux nœuds d'une ardeur mutuelle
Engagé de parole avecque cette belle ;
1770 Et c'est elle, en un mot, que vous venez chercher,
Et pour qui mon refus a pensé vous fâcher.

ENRIQUE

Je n'en ai point douté d'abord que je l'ai vue,
Et mon âme depuis n'a cessé d'être émue.
Ah ! ma fille, je cède à des transports si doux.

CHRYSALDE

1775 J'en ferais de bon cœur, mon frère, autant que vous,
Mais ces lieux et cela ne s'accommodent guère.
Allons dans la maison débrouiller ces mystères,
Payer à notre ami ces soins officieux[1],
Et rendre grâce au Ciel qui fait tout pour le mieux.

---

1. Qui rendent service.

Du tableau

au texte

Valérie Lagier

Du tableau au texte

Portrait de jeune fille
Anonyme

… *« L'une est moitié suprême, et l'autre subalterne »*…

À travers *L'École des femmes*, jouée pour la première fois le 26 décembre 1662, Molière se sert de la comédie, et du thème convenu du barbon cocufié, pour nous faire pénétrer au cœur des préoccupations de ses contemporains en matière de mariage et d'amour, de répartition des rôles sociaux entre hommes et femmes, et enfin d'éducation des filles. En prêtant à Arnolphe, son personnage principal, un discours outrageusement misogyne, il ne fait que refléter l'opinion largement répandue dans la société du XVII siècle, et cela dans tous les milieux, selon laquelle la femme, créature inférieure, ne peut en aucun cas prétendre être l'égale de l'homme. Le droit romain, qui fait d'elle une mineure à vie, est en cela épaulé et relayé par l'Église, qui voit en elle la descendante d'Ève, séductrice responsable de la chute de l'humanité. Nulle réplique ne résume mieux cet état d'esprit que le discours que le barbon tient à Agnès lorsqu'il la demande officiellement en mariage (III, 2) : « Bien qu'on soit deux moitiés de la société, / Ces deux moitiés pourtant n'ont point d'égalité : / L'une est moitié suprême et l'autre subalterne ; /

L'une en tout est soumise à l'autre qui gouverne. » Le propos, à peine exagéré, traduit fidèlement la conviction de tout un pan de la société cultivée qui se délecte à la lecture de *L'Alphabet de l'imperfection et malice des femmes, dédié à la plus mauvaise du monde* (1617), un ouvrage réédité tout au long du XVIIe siècle. Cet écrit, comme bien d'autres, alimente un débat opposant les tenants de la supériorité masculine aux partisans convaincus de la prééminence des femmes. Ainsi, le chevalier de l'Escale publie, en réponse à *L'Alphabet, Le Champion des femmes, qui soutient qu'elles sont plus nobles, plus parfaites et en tous cas plus vertueuses que les hommes.* À cette querelle d'hommes, les femmes, à travers une élite où se mêlent précieuses et courtisanes, apportent leur écot, exprimant leurs revendications à travers romans et traités. Marie de Gournay, dès 1622, écrit un ouvrage intitulé *L'Égalité des hommes et des femmes.* Gabrielle Suchon, dans son *Traité de la morale et de la politique,* énonce pour les femmes le droit de gouverner et la liberté de voyager. Mais c'est surtout Madeleine de Scudéry, femme d'esprit et auteur de romans à clés, figure centrale d'un important salon littéraire où se côtoient Mme de Sévigné, Scaron ou M. de La Rochefoucault, qui porte dans ses écrits cette aspiration vers un absolu respect de la femme. Elle bâtit ses romans sur une interrogation morale, celle du rôle de l'amour dans la société et le mariage, et prône un idéal de comportement amoureux, l'amour galant, fait d'attentions et de dévotion envers la femme. « Précieuses » raillées par Molière dans *Les Précieuses ridicules* en 1659, Madeleine de Scudéry et ses semblables attirent pareillement l'animosité d'Arnolphe, qui voit en la « femme d'esprit un diable en intrigue » (v. 829) et préfère « une laide bien sotte » à « une femme fort belle avec beaucoup d'esprit » (v. 104-105). Porte-parole des adversaires des précieuses, Arnolphe fustige la femme « spirituelle » (v. 87), les « savantes » (v. 244), en un mot, les « femmes d'aujourd'hui » (v. 717). Dans l'esprit de ce dernier, le savoir et l'esprit sont gages de duplicité et fourberie, et seule l'« ignorance extrême » (v. 100) préserve « l'innocence » (v. 79). Cette « femme au gré de [son] souhait » (v. 142), cet idéal de jeune fille ingénue, pure et sans malice, que le barbon croit avoir trouvée en Agnès, sa pupille, pourrait sans effort adopter les traits de cette jeune fille, modèle anonyme dont la présence douce et lumineuse est emprisonnée à jamais dans ce portrait, dû au pinceau d'un talentueux artiste du milieu du XVIIᵉ siècle, non moins anonyme.

… « dans les bornes de la pudeur et de la modestie »…

Cette jeune fille sans nom doit avoir à peu près dix-sept ans, l'âge d'Agnès. Elle appartient, semble-t-il, à l'aristocratie ou à la grande bourgeoisie, en raison de la richesse et de l'élégance de son costume. En théorie, et selon la loi, le vêtement est le signe apparent des distinctions sociales, et l'on devrait reconnaître d'emblée un seigneur ou une dame à ses atours. Ainsi, une bourgeoise ne devrait pas employer les étoffes et les ornements permis à une dame de l'aristocratie. Cependant, la multiplication des ordonnances royales, sous Louis XIV, comme sous ses prédécesseurs, montre bien que la coutume peine à être respectée. Ainsi, en 1660, le roi rappelle aux bourgeois, sous peine d'amende, l'interdiction de « porter non seulement des étoffes d'or et d'argent, mais encore broderie, piqûres, chamarrures, guipures, passements, boutons, etc. », tous ornements réservés à la noblesse. Avec sa robe d'un magnifique bleu moiré, rehaussé de galons à l'endroit des coutures, cette jeune fille montre bien son appartenance à un milieu aisé, bourgeoisie transgressant les règles vestimentaires ou aristocratie. Elle est vêtue selon la mode des années 1645-1650, portant la robe ajustée faite d'un corsage cintré, flanqué de manches bouffantes. Ce bustier, fait de riche étoffe, recouvre une sorte de corset rigide de toile piquée, appelé *corps piqué*, muni de tiges de métal ou d'os, le *busc*, qui compresse la poitrine tout en la relevant outrageusement. Les épaules et la gorge, laissées nues par une très large encolure, sont délicatement masquées par un grand col de fine lingerie transparente, appelé *berthe*, piqué sur le devant d'un nœud de rubans. En ce siècle d'austérité religieuse, cette «nudité de gorge», pourtant discrète, n'est pas sans exciter le courroux des prédicateurs et autres moralistes. Dès 1635, Pierre Juverny, un prêtre parisien, critique vertement les femmes qui exhibent ainsi leur poitrine dans son *Discours sur les femmes débraillées de ce temps*. En 1675, l'abbé Jacques Boileau, frère du satiriste, consacre un long pamphlet aux *Abus des nudités de gorge*. La hiérarchie catholique s'en mêle en édictant en 1682 un *Avis aux femmes et aux filles sur leur nudité d'épaules et de gorge*. Enfin, une ordonnance du pape en 1683 impose aux femmes de se couvrir «les épaules et le sein jusqu'au col et les bras jusqu'au poing avec quelque étoffe épaisse et non transparente, à peine pour celles qui n'obéiraient pas dans six jours d'être excommuniées *ipso facto*». Cette exigence de pudeur, de vêtement et d'attitude, émane parfois de la gent féminine elle-même. Ainsi Mme de Maintenon concède bien qu'«une fille qui veut se marier peut bien essayer de se donner quelque agrément ou tâcher de relever ceux que Dieu lui a donnés, pourvu [qu'elle] demeure dans les bornes de la pudeur et de la modestie ». Elle ajoute, à l'intention des jeunes filles de bonne famille qu'elle accueille et éduque à Saint-Cyr : « La modestie est dans les yeux qu'il faut savoir conduire modestement. » La jeune fille du portrait, bien que parée d'un simple rang de perles et la tête ornée de quelques rubans roses, n'en arbore pas moins un air modeste et doux, sans aucune coquetterie. Une partie de ses cheveux est relevée sur son front et ramenée en un chignon sur le derrière, à l'exception d'une fine rangée légèrement bouclée, appelée *garcette*. Les deux autres parties de sa chevelure retombent de part et d'autre du visage en longues boucles, les *serpentaux* ou *anglaises*, mises à la mode par Anne d'Autriche. Cette coiffure qui dégage l'ovale du visage ne masque ni le regard ni le sourire, et un examen attentif permet de se rendre compte qu'on ne lit sur son front, dans ses yeux ou dans sa bouche, aucune sensualité apprêtée. Cette « honnête et pudique ignorance » (v. 248), vantée par Arnolphe à propos d'Agnès, cet « air doux et posé » qui lui « inspira de l'amour pour elle dès quatre ans » (v. 129-130), affleure pareillement sur les traits de cette inconnue qui, sans nom et sans histoire, nous livre tout de même le secret de son âme. Car le peintre a su cueillir, plus qu'une ressemblance dont il nous serait difficile de juger, une identité, une personnalité, faite d'élégance et de modestie, de douceur et de retenue.

… *« De savoir prier Dieu, m'aimer, coudre et filer »* …

Si l'on ne sait rien d'elle, on peut cependant, à travers d'autres sources, se faire une idée de son parcours et imaginer à quelle destinée elle est promise, comme tant de jeunes filles de son temps. A-t-elle ou non été instruite ? Et doit-on ou non éduquer les femmes ? Sera-t-elle ou non mariée ? D'ailleurs, les femmes sont-elles dignes de la confiance des hommes dans le mariage, et ne doit-on pas lui préférer le célibat ? Ces deux questions, individuelles et collectives, qui sous-tendent toute l'intrigue de *L'École des femmes*, sont sujets de querelles et de débats tout au long du siècle. Dans un temps où l'accès au savoir reste un privilège, même pour les hommes, l'idée de laisser accéder les femmes au savoir est généralement considérée comme absurde. Car pour les savants, qu'ils soient médecins, théologiens ou philosophes, l'infériorité intellectuelle des femmes est naturelle. En 1674, dans *La Recherche de la vérité*, Malebranche pense que l'effort intellectuel est dangereux pour elles en raison de la fragilité des fibres de leur cerveau. Le Sieur de Ferville, auteur d'une *Méchanceté des femmes*, parue au début du siècle, met en lumière le fait que l'humanité ne leur doit aucune contribution au progrès des sciences et de la pensée. Il conclut : «À quoi donc est propre une femme ? À rien. Que peut faire une femme ? Rien. Que vaut une femme ? Rien.» On comprend mieux dans ce contexte l'horreur d'Arnolphe pour les femmes «savantes» et son exaltation de l'«ignorance» comme vertu suprême. Il choisit donc d'enfermer Agnès, pour qu'elle ne puisse avoir accès à aucune forme de culture et de savoir. «Dans un petit couvent, loin de toute pratique, / Je la fis élever selon ma politique, / C'est-à-dire ordonnant quels soins on emploirait / Pour la rendre idiote autant qu'il se pourrait», énonce-t-il fièrement à Chrysalde (v. 135-138). Mais, malgré ses précautions, le couvent a pourtant appris à Agnès à écrire, puisqu'elle rédige un billet à l'attention d'Horace. On voit, à travers cet épisode, comment l'écriture, encore si peu répandue dans toutes les couches de la société, est le premier pas vers une forme de liberté, celle de penser et de s'exprimer. En ce XVIIe siècle si méfiant à l'égard des femmes, certains auteurs, comme Poullain de la Barre en 1674 dans *De l'éducation des dames pour la conduite de l'esprit dans les sciences et dans les mœurs*, pensent que leur prétendue incapacité intellectuelle n'est due qu'à l'ignorance dans laquelle on les a laissées. Fénelon, dans son *Traité de l'éducation des filles* en 1687, pense qu'il faut cependant limiter l'instruction des filles aux connaissances dont elles auront besoin pour remplir leurs rôles de mères et d'épouses, philosophie partagée par Mme de Maintenon lorsqu'elle crée Saint-Cyr pour les jeunes filles pauvres de l'aristocratie. On n'est pas très loin, finalement, de ce que demande Arnolphe à sa future épouse : «De savoir prier Dieu, [l]'aimer, coudre et filer» (v. 102). Cette jeune fille, quel que soit son niveau d'instruction, n'ignore probablement rien, comme Agnès et nombre de ses contemporaines, des travaux d'aiguilles qui sont un des nombreux attributs de l'épouse modèle. Tout au long de la pièce, on voit Agnès travailler de ses mains, à la visible satisfaction d'Arnolphe qui s'exclame (v. 231) : «La besogne à la main ! C'est un bon témoignage.» Agnès décrit à plusieurs reprises l'avancée de ses travaux : «Je me fais des cornettes. / Vos chemises de nuit et vos coiffes sont faites» (v. 239-240). Et à la question posée par Arnolphe sur l'emploi de son temps pendant son absence, elle répond qu'elle a fait : «Six chemises […] et six coiffes aussi» (v. 466). Si la jeune fille du portrait appartient à la haute noblesse, elle peut n'avoir appris ces travaux que pour son loisir ou son plaisir, et abandonner cette activité une fois richement mariée, entourée de domestiques qui pourvoiront à ses besoins. Mais, si elle a des biens à gérer, des enfants à élever et des serviteurs à commander, elle ne connaîtra qu'une oisiveté relative. Car toute son éducation la destine au mariage, une union bien souvent plus économique que sentimentale, comme celle à laquelle Agnès est promise par Arnolphe. « Le mariage […] n'est pas un badinage : / À d'austères devoirs le rang de femme engage », lui explique-t-il (v. 695-696). Dans ce contexte, la revendication des femmes de la haute bourgeoisie ou de la noblesse se résume bien souvent, non à choisir leur époux, mais bien à être au moins aimée, comme Mme de Guiche qui déclare, à la mort du sien : « je l'aurais aimé passionnément s'il m'avait un peu aimée ». Agnès se fait écho d'une aspiration plus haute, celle de se marier par amour à celui qu'elle a choisi, et de refuser le parti qu'on lui destine, Arnolphe. « Il est, dit-elle en parlant d'Horace, plus pour cela selon mon goût que vous. »

... « *l'amour est un grand maître* »...

Si cette jeune fille sage, douce et modeste, est une Agnès, c'est celle d'avant cette rébellion contre l'autorité, celle d'avant l'assurance acquise au contact de l'amour, qui lui donne la force de combattre pour ses convictions intimes, décrite par Molière à la fin de sa pièce. Car, comme le dit Horace : « Il le faut avouer, l'amour est un grand maître : / Ce qu'on ne fut jamais il nous enseigne à l'être » (v. 900-901). Ce portrait, dont on a longtemps donné la paternité à Matthieu Le Nain, est aujourd'hui redevenu l'œuvre d'un anonyme, grâce aux travaux de Jacques Thuillier, qui a remis en cause cette attribution. L'extrême qualité de l'exécution, la touche incisive et la profonde maîtrise du modelé, ne sont pas, pour d'autres auteurs, sans rappeler le talent de portraitiste d'un Philippe de Champaigne, capable de pénétrer les formes de son modèle pour en rendre l'intimité et la psychologie. Quelle que soit la main de l'artiste, elle parvient à nous faire sentir, à travers un fin réseau de touches et de rehauts, la délicate beauté et la grâce discrète de la jeune inconnue qui a posé devant lui. Sa sensualité n'est pas encore éveillée, elle est en sommeil sur ses lèvres et dans ses yeux, qui n'expriment pour l'heure qu'un léger contentement, un pâle sourire, ce qu'Horace décrit comme « un air tout engageant, je ne sais quoi de tendre » (v. 324). Peut-être saura-t-on un jour qui se cache derrière ce visage, et quel talent a su l'immortaliser ainsi, mais si ces informations nourrissent utilement le regard que l'on porte sur l'œuvre, l'enrichissent, ils ne peuvent la résumer. Et même sans nom et sans histoire, le portrait nous parle d'un temps révolu, où être femme est une réalité bien différente de la nôtre, que les textes littéraires, pièces de théâtres comme *L'École des femmes*, pamphlets et archives, viennent nous rendre plus vivante et plus concrète.

Le texte

en perspective

Jean-Luc Vincent

Mouvement littéraire

Les jeunes années du classicisme

LA CRÉATION DE *L'École des femmes* en 1662 correspond aux débuts du règne personnel du jeune Louis XIV, né en 1638. Étape charnière dans l'œuvre de Molière, puisqu'il s'agit de sa première grande comédie en cinq actes et en vers, cette pièce s'inscrit dans une période de bouleversement non seulement politique, mais aussi idéologique et artistique, qui se caractérise par les liens complexes qui unissent l'Ordre, la Raison, la Règle et la Nature. Ces liens sont au cœur de ce que la tradition critique nomme le « classicisme », néologisme créé au XIXe siècle par les romantiques pour justifier leur propre révolution artistique. L'histoire littéraire s'est ainsi emparée de ce terme pour désigner la période qui s'étend de 1660 à 1685 et qui se confond avec la première moitié du règne de Louis XIV. Les enjeux et les questionnements propres à l'esthétique classique ne se condensent cependant pas sur ces seules vingt-cinq années. En effet, dès les années 1630, se mettent en place les fondements théoriques de la pensée classique, et les premières œuvres de Corneille traduisent cette transition entre une ère baroque, caractérisée par son goût pour le mélange des genres, pour les formes complexes, pour une certaine exubérance, et une ère classique, éprise de régularité, de rationalité et de bon goût. Les années 1660 donnent donc toute son ampleur à une évolution déjà amorcée en mettant au cœur de la création littéraire les liens du poète à l'autorité, qu'elle soit politique ou esthétique.

1.

La mise en place d'un nouvel ordre politique : le roi, figure rayonnante et centralisatrice

1. *Art et pouvoir avant 1660 : les prémices de la politique louis-quatorzienne*

L'arrivée au pouvoir de Richelieu comme premier ministre de Louis XIII en 1624 marque un retour à l'ordre et une reprise en main politique après les troubles encore perceptibles des guerres de Religion et les années d'instabilité de la Régence : les complots des grands aristocrates sont systématiquement brisés afin de promouvoir un pouvoir monarchique fort au sein d'un État centralisé. Cependant la mort de Richelieu en 1642 puis celle de Louis XIII l'année suivante amorcent une nouvelle période de Régence, menée par Anne d'Autriche et Mazarin, marquée elle aussi par l'instabilité. En effet, la noblesse en profite pour se rebeller contre l'autorité royale et ses ambitions centralisatrices. La Fronde des années 1648-1653 met ainsi en évidence la nostalgie féodale des grands du royaume qui refusent de renoncer à leur autonomie en se soumettant à un État tout-puissant, qui offre désormais à la bourgeoisie aisée les plus hautes fonctions publiques.

Durant cette période, on voit se mettre en place les

premiers jalons d'une politique artistique que Louis XIV poursuivra. En effet, pour Richelieu, les arts doivent occuper une place centrale dans la rénovation de l'État et de la figure royale en participant à leur rayonnement. Ainsi en 1634 le ministre de Louis XIII commande à cinq auteurs dramatiques, dont le jeune Corneille (1606-1684), une pièce qui sera jouée l'année suivante devant le roi et la cour (*La Comédie des Tuileries*) ; il crée en 1635 l'Académie française, première manifestation officielle d'une autorité littéraire, qui exporte le modèle politique dans le monde des arts. Cependant, malgré ces quelques innovations, le système reste principalement fondé sur le mécénat privé. Ainsi les artistes vivent en très grande partie grâce au soutien financier des grands du royaume. Molière lui-même, qui commence sa carrière en 1643 en fondant à Paris l'Illustre-Théâtre et qui part ensuite sur les routes du royaume avec sa troupe, jouit d'abord du soutien du duc d'Épernon, puis de 1653 à 1657 de la protection du prince de Conti, nouveau gouverneur de Guyenne (États du Languedoc). Le retour à Paris de Molière en 1658 est rendu possible par la protection de Monsieur, duc d'Orléans et frère du roi. L'ascension que Molière va alors connaître correspond à l'ascension personnelle du roi et à la mise en place d'un nouvel ordre politique, centralisé autour de la personne royale.

2. *Molière et Louis XIV : une relation exemplaire du nouveau rapport des arts et du pouvoir*

La mort de Mazarin en 1661 marque le début du règne personnel de Louis XIV. Le jeune roi impose aussitôt un nouvel ordre politique : il chasse tous les grands seigneurs de son conseil des ministres dans lequel il ne garde que des technocrates récemment anoblis parfois, mais toujours d'origine bourgeoise comme Colbert, qui devient contrôleur général des Finances et ministre de l'Intérieur. C'est donc un pouvoir centralisé qui se met en place, condensé autour d'un roi tout-puissant qui écrase les velléités d'indépendance et de grandeur de l'ancienne noblesse et réduit ses membres au rôle de courtisans empressés. La figure du gentilhomme belliqueux et plein de fougue cède la place à celle du petit marquis, qui parcourt toute l'œuvre de Molière. La nouvelle cour, véritable satellite du rayonnement solaire du roi, se soucie avant tout de son plaisir loin de toute véritable préoccupation politique, tandis que la vieille cour, réunie autour de la reine mère Anne d'Autriche, tente vainement de s'opposer à cette évolution.

Cette nouvelle politique a des effets immédiats sur la vie culturelle : c'est la fin du mécénat privé et le début du mécénat d'État. La disgrâce de Fouquet, ancien surintendant des Finances, est exemplaire de ce point de vue : lors des fêtes données par ce dernier en août 1661 dans son château de Vaux-le-Vicomte, le roi vit les plus grands noms de la vie artistique associés à celui de son ministre : Le Brun avait réalisé les peintures qui ornaient les plafonds, Le Nôtre avait agencé les jardins, La Fontaine avait écrit dès 1656 une œuvre poétique destinée à célébrer les merveilles de Vaux (*Le Songe de Vaux*), Molière, nouvel espoir du théâtre français depuis le triomphe des *Précieuses ridicules* à Paris en 1659, écrivit pour l'occasion sa première comédie-ballet (*Les Fâcheux*). Tant de splendeur choqua le roi, même si elle lui était destinée. Seule la personne royale devait pouvoir jouir d'un tel éclat, le roi devait devenir le grand ordonnateur des Arts.

L'avènement de Molière se confond avec celui de Louis XIV. Les relations qu'entretiennent l'homme de théâtre et le roi sont exemplaires du nouvel ordre qui se met en place en ce début des années 1660. Dès 1658, *Le Docteur amoureux* présenté devant le roi au palais du Louvre permet à la troupe de Molière d'obtenir la salle du Petit-Bourbon. *L'École des maris* (1661) est dédiée à Monsieur, frère du roi, *L'École des femmes* (1662) à Madame, épouse de Monsieur, *La Critique de l'École des femmes* (1663) à la Reine mère, enfin *L'Impromptu de Versailles* est tout entier construit comme un hommage au roi : il y apparaît comme celui pour lequel on crée. Molière se met en scène lui-même et sa troupe dans le temps de la création : le roi leur a commandé un nouveau divertissement, mais ils n'ont que deux heures et seule la grâce royale vient les délivrer *in extremis* de leur obligation (*L'Impromptu de Versailles*, scène 11) :

> MOLIÈRE : Monsieur, vous venez pour nous dire de commencer, mais...
> BÉJART : Non, Messieurs, je viens pour vous dire qu'on a dit au Roi l'embarras où vous vous trouviez, et que, par une bonté toute particulière, il remet votre nouvelle comédie à une autre fois, et se contente, pour aujourd'hui, de la première que vous pourrez donner.
> MOLIÈRE : Ah ! Monsieur, vous me redonnez la vie ! Le Roi nous fait la plus grande grâce du monde de nous donner du temps pour ce qu'il avait souhaité, et nous allons tous le remercier des extrêmes bontés qu'il nous fait paraître.

Les liens étroits que le roi entend entretenir avec les artistes ne sont pas des liens de sujétion. Tout au contraire, le nouvel engagement royal crée, durant ces années 1660, une réelle effervescence artistique. Ainsi Molière peut proposer, après avoir rencontré ses premiers succès publics et s'être assuré le soutien du roi en étant invité une semaine à la Cour en mai 1662, une pièce audacieuse, une comédie d'un genre nouveau, qui bouleverse les critères de son époque. Il s'agit de *L'École des femmes* qu'il crée en décembre de la même année.

2.

La mise en place d'un nouvel ordre esthétique : la règle, expression de la Raison en art

1. *Imiter la Nature selon l'ordre de la Raison : l'autorité des doctes*

Dès les années 1630, la doctrine classique se dessine : la lecture des Anciens, et en particulier de la *Poétique* d'Aristote (384-322 av. J.-C.) et de l'*Art poétique* d'Horace (65-8 av. J.-C.), conduit la génération de 1630 à affirmer la valeur des règles dans la création artistique. Ainsi l'exubérance baroque cède peu à peu la place à une esthétique qui valorise la régularité et l'ordre et fait ainsi écho au nouvel ordre politique qui se met en place. Il s'agit d'inventer un art conforme à la raison. Le théâtre devient le lieu privilégié de cette réglementation. En 1634, est jouée la première tragédie qui se veut régulière, *Sophonisbe* de Jean Mairet (1604-1686) : elle est construite selon un certain nombre de règles puisées chez Aristote et mises en évidence par Jean Chapelain (1595-1674) dès 1630. La création du *Cid* de Corneille en 1637 est l'occasion d'une querelle dans laquelle l'Académie elle-même intervient : sans condamner la tragi-comédie de Corneille, elle en montre les irrégularités et les limites. Les «doctes» jouent dès lors un rôle déterminant dans la mise en place d'une esthétique qui veut faire du respect des règles un critère du Beau. L'œuvre d'art doit imiter la Nature, mais cette Nature, contrairement à celle de l'époque baroque, est une Nature ordonnée par la Raison dont le poète saisit l'essence et qu'il embellit. Cette théorie conduit à édicter au théâtre la toute-puissance de la vraisemblance et de la bienséance : ne peut être représenté que ce qui est conforme à ce que l'on peut croire, que cette croyance soit d'ordre rationnel (vraisemblance) ou d'ordre moral (bienséance). Se construit ainsi une théorie qui valorise l'harmonie, l'épure et la simplicité, et qui se donne à lire dans de nombreux ouvrages théoriques comme le *Discours sur la tragédie* de Sarasin en 1639, *La Pratique du théâtre* de l'abbé d'Aubignac en 1657, ou les *Trois discours sur le poème dramatique* de Corneille en 1660.

Si Molière apparaît aujourd'hui comme le créateur de la comédie classique, il ne fut cependant pas immédiatement considéré comme tel par un certain nombre de ses contemporains. S'il est respectueux des règles de composition édictées par les doctes et montre un souci d'harmonie dans la composition de ses pièces, il s'attaque cependant à un genre encore peu théorisé par ces doctes qui ont fait de la tragédie le genre le plus noble et le plus digne d'être considéré. D'Aubignac se montre d'ailleurs particulièrement méprisant à l'égard des comédies de son époque qu'il pense réservées à la «populace élevée dans la fange, et entretenue de sentiments et de discours déshonnêtes». Le succès grandissant de Molière aussi bien auprès du public qu'auprès de la Cour et du roi avec des œuvres d'un genre jusqu'alors considéré comme mineur lui valut la jalousie des doctes. Ces derniers se déchaînèrent particulièrement contre *L'École des femmes* puisqu'il s'agissait de la première comédie de Molière en cinq actes et en vers, première de ses comédies qui n'était pas un simple divertissement joué en complément d'une autre pièce. Molière connaît donc sa première « querelle », comme il le rappelle dans sa Préface : « Bien des gens ont frondé d'abord cette comédie ; mais les rieurs ont été pour elle, et tout le mal qu'on en a pu dire n'a pu faire qu'elle n'ait un succès dont je me contente. » Il répond à ces attaques dans *La Critique de l'École des femmes,* petite pièce en un acte : il y donne la parole aux doctes par la voix du poète Lysidas auquel répond Dorante, double fictionnel de Molière. La critique de Lysidas porte avant tout sur la construction de la pièce qu'il juge contraire à la nature même du texte dramatique qu'Aristote définit comme action : « dans cette comédie-ci, il ne se passe point d'actions, et tout consiste en des récits que vient faire ou Agnès ou Horace ». Il reproche ensuite l'« impertinence » des scènes avec les valets, l'invraisemblance du don d'argent qu'Arnolphe fait à Horace dans la scène 4 de l'acte I, le manquement aux bienséances de la scène des maximes (acte III, scène 2). Tout en répondant point par point à ces reproches savants, Molière n'hésite pas par ailleurs à rappeler la relativité de ces règles érigées en lois indispensables à la réussite artistique par les doctes (*La Critique de l'École des femmes* (scène 6) :

> DORANTE : Vous êtes de plaisantes gens avec vos règles, dont vous embarrassez les ignorants et nous étourdissez tous les jours. Il semble, à vous ouïr parler, que ces règles de l'art soient les plus grands mystères du monde ; et cependant ce ne sont que quelques observations aisées, que le bon sens a faites sur ce qui peut ôter le plaisir que l'on prend à ces sortes de poèmes ; et le même bon sens qui a fait autrefois ces

> observations les fait aisément tous les jours sans le
> secours d'Horace et d'Aristote. Je voudrais bien savoir
> si la grande règle de toutes les règles n'est pas de
> plaire, et si une pièce de théâtre qui a attrapé son but
> n'a pas suivi un bon chemin. Veut-on que tout un
> public s'abuse sur ces sortes de choses, et que chacun
> n'y soit juge du plaisir qu'il y prend ?

Molière énonce un des fondements de l'esthétique classique, que Corneille, La Fontaine ou Racine ne cesseront eux-mêmes d'affirmer : la nécessaire articulation de la règle et du plaisir. Ce dialogue constant entre la valeur accordée à la règle et la recherche du plaisir se reflète dans le goût du roi lui-même et dans la vogue de spectacles, apparemment contraires aux exigences de régularité, tels que les pièces à machines, les divertissements royaux et l'opéra dont Lulli ne tarde pas à faire l'une des plus belles innovations du règne de Louis XIV.

2. *Imiter la Nature en respectant le bon goût : l'autorité des Salons*

Le profond changement esthétique et idéologique qui s'amorce dans les années 1630 se développe dans le même temps qu'une vie mondaine éprise de raffinement et de débats intellectuels. En réaction contre les mœurs souvent grossières du début du siècle, certaines femmes du monde décident de constituer des sociétés amicales, des salons mondains où l'on s'efforçait de se comporter avec bienséance, de parler un langage plus châtié, de se divertir avec honnêteté. Ainsi naît la préciosité. Ce mouvement, loin d'être un courant marginal et excessif dans ses obsessions esthétiques, joua en réalité un rôle moteur dans la construction de l'esthétique classique et de certaines de ses valeurs clés comme l'honnêteté. Ainsi la marquise de Rambouillet fut la première à réunir dans son hôtel particulier dès 1620 une société choisie, composée d'esprits brillants, épris de littérature et de philosophie. « L'hôtel de Rambouillet était pour ainsi dire le rendez-vous de ce qu'il y avait de plus galant à la Cour et de plus joli parmi les beaux esprits du siècle », note l'historien Tallemant des Réaux (1619-1692). On y lit *L'Astrée* (1607-1624) d'Honoré d'Urfé (1567-1625) et les œuvres des poètes contemporains ; on y débat de l'amour en renouvelant la rhétorique courtoise du Moyen Âge, mais on y parle aussi de toutes les nouveautés du temps et de nombreuses questions de société, comme les rapports du mariage et de l'amour. Un deuxième haut lieu de cette nouvelle mondanité intellectuelle naît après la Fronde : le salon de Mlle de Scudéry (1607-1701), qui se fait appeler « Sapho » et qui compose de longs romans sentimentaux (*Le Grand Cyrus,* dix volumes publiés de 1649 à 1653, *Clélie,* dix volumes de 1654 à 1660). Le mouvement perd alors de son intérêt intellectuel et les salons précieux deviennent des caricatures d'eux-mêmes : des esprits médiocres s'y piquent d'être spirituels et élégants, mais leurs jeux tournent à vide et n'expriment plus qu'un grand désert intellectuel. La préciosité ne peut cependant se réduire à cette caricature : non seulement elle joue un rôle moteur dans l'élaboration d'un réel renouveau esthétique, mais en outre son esprit perdure tout au long des années 1660, années d'un début de règne flamboyant, pendant lesquelles le roi et la cour aspirent au plaisir et au divertissement. La galanterie, avatar de la préciosité, marque les œuvres de l'époque : soucieuse de raffinement et de « bel esprit », elle se plaît aux analyses de la psychologie amoureuse et valorise la sensibilité, la sensualité et le goût des larmes qui impriment à une œuvre sa « tendresse ». L'esthétique classique joint alors ce goût à ses exigences de rigueur et de régularité : Racine, qui connaît son premier grand succès avec *Andromaque* en 1667, offre un magnifique exemple de cette dualité.

L'École des femmes s'inscrit dans des débats qui agitent depuis de nombreuses années les salons précieux, celui de l'éducation des jeunes filles et du mariage. Les rapports de Molière à la préciosité sont complexes : malgré les idées nouvelles qu'il défend, les précieuses, qu'il caricature dans *Les Précieuses ridicules* en 1659 puis dans *Les Femmes savantes* en 1672, ne cessent de lui reprocher sa grossièreté et son manque de finesse. C'est que Molière refuse toute forme d'extrémisme et se fera toujours le défenseur de la raison et de l'honnêteté, faite de mesure et de bon sens, contre les débordements chimériques et obsessionnels. Cette juste mesure, si caractéristique de l'esprit classique, est incarnée dans chacune de ses pièces. Chrysalde dans *L'École des femmes* apparaît comme une figure de l'honnête homme, à la fois homme du monde et homme de raison. On voit d'ailleurs s'affronter dans *La Critique* l'honnêteté et la préciosité : Uranie et Dorante face à Climène et au Marquis. C'est que les esprits fins se sont déchaînés contre la pièce de Molière, au nom du bon goût et de la décence (*La Critique de l'École des femmes*, scène 3) :

> CLIMÈNE : [...] Et dans le vrai de la chose, est-il un esprit si affamé de plaisanterie, qu'il puisse tâter des fadaises dont cette comédie est assaisonnée ? Pour moi, je vous avoue que je n'ai pas trouvé le moindre grain de sel dans tout cela. *Les enfants par l'oreille* m'ont paru d'un goût détestable ; la *tarte à la crème* m'a affadi le cœur ; et j'ai pensé vomir au *potage*.

Le parcours et l'œuvre de Molière mettent en lumière le caractère paradoxal de l'époque classique, dont le goût pour la raison et la régularité construit d'une part la figure de l'honnête homme, et de l'autre, des esprits sectaires qui érigent leurs principes en diktats.

Pour prolonger la réflexion

1630	Jean Chapelain, *Lettre sur la règle des vingt-quatre heures*
1634	Jean Mairet, *Sophonisbe*
1637	Pierre Corneille, *Le Cid* *Sentiments de l'Académie sur* Le Cid
1640	La Ménardière, *Poétique* Pierre Corneille, *Horace*
1641	Pierre Corneille, *Cinna*
1645	Jean Rotrou, *Le Véritable Saint Genest*
1657	Abbé d'Aubignac, *Pratique du théâtre*
1660	Pierre Corneille, *Discours sur le poème dramatique* et *Examens*
1662	Pierre Corneille, *Sertorius*
1663	Pierre Corneille, *Sophonisbe*
1665	Jean de La Fontaine, *Contes et nouvelles en vers* (1ʳᵉ partie)
1666	Boileau, *Satires* (I à VII)
1667	Jean Racine, *Andromaque*
1668	Jean de La Fontaine, *Fables* (1ᵉʳ recueil)
1669	Jean Racine, *Britannicus*
1674	Nicolas Boileau, *Art Poétique*

Textes critiques sur l'époque classique

Paul BÉNICHOU, *Morales du Grand Siècle*, Paris, Gallimard, 1948 (coll. Folio Essais, 1988).

Christian BIET, *Les Miroirs du Soleil*, Paris, Gallimard, coll. Découvertes, 2000.

René BRAY, *La Formation de la doctrine classique*, Paris, Nizet, 1961.

Emmanuel BURY, *Le Classicisme*, Paris, Nathan, 1993.

Claude CHANTALAT, *À la recherche du goût classique,* Paris, Klincksieck, 1992.

Jean-Michel PELOUS, *Amour précieux, amour galant (1654-1675). Essai sur la représentation de l'amour dans la littérature et la société mondaine,* Paris, Klincksieck, 1980.

Jacques SCHERER, *La Dramaturgie classique en France,* Paris, Nizet, 1950.

Alain VIALA, *Naissance de l'écrivain,* Paris, Éditions de Minuit, 1985.

Roger ZUBER et Micheline CUENIN, *Le Classicisme (1660-1680),* Paris, Artaud, rééd. Flammarion, 1998.

Genre et registre

La comédie classique

MOLIÈRE RÉNOVE EN profondeur le genre de la comédie. Le scandale qui accompagne la création de *L'École des femmes* en témoigne. En effet, les critiques portent moins sur des questions idéologiques, concernant la place de la femme ou la remise en question de l'autorité du père et du mari, que sur des questions de genre : on reproche à Molière d'avoir osé mêler la farce à la noblesse d'une comédie en cinq actes et en alexandrins. On ne lui pardonne pas cette audace de vouloir hausser le genre comique au niveau de dignité de la tragédie tout en continuant à faire rire le «parterre». Molière propose une synthèse comique tout à fait originale dont *L'École des femmes* est la première manifestation.

1.

La comédie : une double tradition

1. *Le genre bas de la farce*

La comédie perdure depuis le Moyen Âge sous une forme populaire, liée au théâtre de tréteaux, la farce. Le genre se caractérise par la simplicité de son intrigue et de ses personnages types (le mari cocu, le marchand malhonnête, l'épouse rusée et infidèle…), mise au service de situations grotesques fondées sur le principe du bon tour. Cette forme brève s'appuie sur un jeu outré, très physique, sur une mécanique scénique et gestuelle très efficace et un goût certain pour l'obscénité. Molière se réapproprie ce genre tombé en désuétude et souvent réduit à la vulgarité la plus absolue lors de sa longue itinérance provinciale (1645-1658). En outre, en partageant la salle du Petit-Bourbon pendant quelques mois (1658-1661) avec les comédiens italiens, il découvre une parenté certaine avec la tradition française de la farce et la tradition italienne de la *commedia dell'arte* faite de pièces courtes, non écrites, constituées de canevas, de scènes et de personnages types, caractérisés par des masques (le vieillard concupiscent et avare Pantalon, le valet Arlequin…). Le rire naît de la vivacité du jeu et des innombrables développements comiques improvisés (appelés *lazzi*). Genre moins dénigré que la farce par les beaux esprits du temps, la *commedia* reste cependant pour les doctes et les mondains un pur divertissement sans grand intérêt.

Molière cherche à renouveler le genre de la farce en lui ôtant sa trop grande vulgarité au profit de situations mieux construites et d'une mécanique comique très précisément réglée. Sa profession de comédien et d'artisan du théâtre l'aide à saisir l'essence dramatique du genre. Et c'est par la farce qu'il parvient à séduire le roi lui-même en 1658 avec *Le Docteur amoureux* qui précède une représentation de *Nicomède* de Corneille. En 1659, il présente *Les Précieuses ridicules,* farce en un acte et en prose et premier grand succès parisien de la troupe de Molière. Le renouvellement du genre est évident : tout en conservant la simplicité d'intrigue qui lui est propre, il en fait l'instrument d'une charge satirique contre les outrances précieuses de son époque. La farce perd de sa gratuité comique et de son universalité creuse pour devenir une arme. Dans la genèse même de *L'École des femmes*, on retrouve cette part importante laissée au modèle farcesque. En effet, le thème même choisi par Molière, celui du mari qui se prévient d'un éventuel cocuage, rappelle l'un des motifs favoris de la farce. Il le traite dès 1660 dans *Sganarelle ou Le Cocu imaginaire*, pièce en un acte et en vers, avant de le reprendre l'année suivante dans *L'École des maris*, pièce en trois actes et en vers. Ces variations farcesques servent ainsi de base à l'élaboration d'une comédie d'un genre nouveau.

2. *Les genres nobles : la comédie d'intrigue et la «grande comédie»*

Le renouveau esthétique des années 1630 tente de mettre fin aux débordements grossiers de la farce pour créer une nouvelle comédie plus noble et plus raffinée. Le jeune Pierre Corneille propose ainsi des comédies qui ne cherchent pas à faire rire, mais se veulent des peintures élégantes de la jeunesse de l'époque et sont autant de variations galantes et joyeuses sur l'amour que la tragi-comédie et la pastorale, genres phares de ses années-là, avaient mis à l'honneur. *Mélite* (1629), *La Galerie du Palais* (1632), *La Place Royale* (1634), *Le Menteur* (1643) en offrent de magnifiques exemples. S'ouvre ainsi un processus de régularisation du genre comique auquel le jeune dramaturge participe activement (Pierre Corneille, *Avis au Lecteur de* La Veuve, 1634) :

> La Comédie n'est qu'un portrait de nos actions et de nos discours, et la perfection des portraits consiste en la ressemblance. Sur cette maxime je tâche de ne

> mettre en la bouche de mes acteurs que ce que diraient vraisemblablement en leur place ceux qu'ils représentent, et de les faire discourir en honnêtes gens, et non pas en Auteurs. Ce n'est qu'aux ouvrages où le Poète parle qu'il faut parler en Poète : Plaute n'a pas écrit comme Virgile et ne laisse pas d'avoir bien écrit. Ici donc tu ne trouveras en beaucoup d'endroits qu'une Prose rimée, peu de Scènes toutefois sans quelque raisonnement assez véritable, et partout une conduite assez ingénieuse.

Corneille définit la comédie en la distinguant de la tragédie : alors que la *mimesis* tragique nécessite un travail poétique de la langue pour représenter une histoire héroïque, la *mimesis* comique apparaît comme une imitation du monde tel qu'il est, imitation classique cependant puisque régie par un principe de sélection et d'embellissement du réel. Le genre inaugure ainsi un mouvement d'anoblissement qui se poursuit dans la comédie d'intrigue : pièce en cinq actes et en vers, la comédie d'intrigue se caractérise par son action complexe, faite de nombreux rebondissements et de péripéties surprenantes, proche des actions romanesques des tragi-comédies. Le rire devait naître de l'extravagance des personnages et des situations, le plus souvent puisées dans la farce, mais traitées sur un ton plus élevé. L'action se construisait autour du couple des jeunes amants, dont le mariage est empêché par de nombreux obstacles (rivaux, parents égoïstes et tyranniques) et qui font appel à la ruse de leur valet et de leur soubrette pour inventer d'improbables stratagèmes. Avec *L'Étourdi* (1655) et *Le Dépit amoureux* (1656), Molière s'essaie à ce genre, dont il conservera par la suite certaines caractéristiques (valets industrieux, couple de jeunes amants innocents et déterminés). Peu à peu se fait jour la volonté, caractéristique de la doctrine classique, de créer une « grande comédie », c'est-à-dire une comédie qui respecterait les mêmes impératifs dramaturgiques de rigueur et de clarté que la tragédie et combinerait les exigences de la comédie de caractère, soucieuse de proposer une peinture morale fouillée des personnages et celle de la comédie de mœurs, peinture de la société contemporaine. Si la forme de la grande comédie existe avant Molière, il faut reconnaître qu'elle est loin de savoir transposer dans le registre comique la force et la densité de la tragédie. Seul Molière parviendra à construire cette grande comédie, synthèse classique de rigueur et de noblesse.

3. *L'ambition classique : instruire et plaire*

Pour donner au genre de la comédie sa légitimité, il ne suffit cependant pas de créer une forme parfaite, il faut aussi en montrer la valeur morale, l'utilité pédagogique pour ainsi dire. Le couple « plaire et instruire » au cœur de toute la doctrine classique prend ici tout son sens. Il s'agit de justifier le rire. Le modèle tragique, dont les enjeux sont clairement définis par Aristote dans sa *Poétique*, sert alors de référence aux théoriciens et aux dramaturges. La représentation tragique se justifie par la valeur morale de la *catharsis* qu'elle propose : en suscitant chez le spectateur la crainte et la pitié, la tragédie permet la purgation de ces passions, elle libère les spectateurs de ces passions par la force de l'exemple. En quoi pourrait consister la *catharsis* comique ? En se référant au précepte antique du *castigare ridendo mores* (« corriger les mœurs par le rire »), les auteurs comiques peuvent affirmer que la comédie, en révélant les travers de comportement sous un jour ridicule, « purge » le spectateur de ces vices. Alors que la tragédie instruit par le biais de la terreur et de la pitié, le spectacle comique fonde son efficacité morale sur la honte : l'homme du public craint que l'on rie de lui comme on a ri de tel personnage ridicule. L'utilité morale, indispensable à la légitimité du genre, ouvre cependant le débat sur la manière de représenter le ridicule : faut-il outrer ce ridicule au risque d'être bas et vulgaire, ou faut-il se contenter de le représenter tel qu'il est dans la vie ? Pierre Rapin se pose la question dans ses *Réflexions sur la Poétique*, 1682 :

> Il reste à examiner si l'on peut faire dans la comédie des images plus grandes que le naturel, pour toucher davantage l'esprit des spectateurs par de plus grands traits et des impressions plus fortes, c'est-à-dire si le poète peut faire un avare plus avare et un fâcheux plus impertinent et plus incommode qu'il n'est d'ordinaire. À quoi je réponds que Plaute qui voulait plaire au peuple l'a fait ainsi ; mais Térence, qui voulait plaire aux honnêtes gens, se renfermait dans les bornes de la nature et il représentait les vices sans les grossir et sans les augmenter.

La comédie pose donc une réelle difficulté aux théoriciens classiques : comment conserver au rire son honnêteté ? Ce soupçon de vulgarité et de facilité, qui pèse sur l'œuvre comique, est au cœur de la réflexion de Molière qui entend réconcilier dans le ridicule l'outrance et le naturel.

2.

Molière ou la synthèse comique

1. *Les emprunts à la farce : la permanence du rire franc*

Molière puise dans la farce les ressorts de son comique. Si son ambition est de créer un genre noble, il ne veut cependant pas renoncer au rire. Dans *L'École des femmes*, les scènes avec les valets (I, 2 ; II, 3 ; et IV, 4) ou la scène du notaire de l'acte IV sortent tout droit du monde de la farce : jeux de scène absurdes lorsque les valets ne veulent pas ouvrir à leur maître ou lorsque Arnolphe ne voit pas le notaire qui lui parle, sous-entendus obscènes du «le» à la scène 5 de l'acte II, formules grossières des valets notamment («La femme est en effet le potage de l'homme», explique Alain à Georgette, v. 436). Molière ne se prive pas d'intégrer de vrais moments farcesques à sa comédie. Mais, au-delà de ces apparitions circonscrites, la farce imprime sa logique à l'action elle-même : cette dernière est en effet construite selon une structure répétitive, un schéma reproduit et décliné, caractéristique de la logique farcesque. Ainsi le schéma suivant, celui de la précaution inutile, se reproduit quatre fois : Arnolphe croit avoir pris les précautions nécessaires pour être à l'abri de tout risque d'infidélité, il rencontre Horace qui, par le récit qu'il lui fait innocemment, lui prouve l'inutilité de ses précautions, Arnolphe se désespère. La farce informe donc la comédie en profondeur : elle ne constitue pas seulement une réserve de situations comiques ou un registre mobilisable, elle permet de donner à la grande comédie voulue par Molière un fondement proprement comique, issu de la tradition la plus populaire.

2. *Une étude de mœurs et de caractères*

La farce est associée aux ambitions plus hautes de la comédie de mœurs et de caractères. Molière entend bien renvoyer à son public une image de la société dans laquelle il vit et offrir une peinture des mœurs de son époque. *Les Précieuses ridicules* transposaient habilement sur le mode de la farce les ridicules de la préciosité contemporaine. *L'École des femmes* s'inscrit dans un débat plus sérieux, celui du mariage et de l'éducation des jeunes filles. Les références à la société du temps parcourent toute la comédie : la pièce s'ouvre ainsi sur un dialogue entre Chrysalde et Arnolphe dans lequel ils dépeignent une certaine émancipation féminine, celle précisément réclamée par les précieuses. Cette émancipation, toute relative, est considérée comme insupportable par Arnolphe, qui y trouve la justification de son expérience sur Agnès. Ainsi l'action de la comédie se fonde en grande partie sur une réalité sociale contemporaine. Molière ajoute à cette étude de mœurs une étude de caractères qui fonde encore davantage l'ambition sérieuse de l'auteur. En effet, la comédie propose un discours sur les passions, une analyse de l'amour, qui apparaît à la fois comme force d'aveuglement (chez Arnolphe) et comme puissance d'éveil au monde (Agnès se révèle par l'amour). La quasi-omniprésence d'Arnolphe sur le plateau et le recours systématique au monologue (douze en tout dans la pièce) permettent de centrer le regard du spectateur sur le personnage du vieux barbon amoureux. Cette construction dramaturgique surprenante met bien en évidence la nature du projet moliéresque : le type devient personnage, capable de toucher par son humanité.

3. *L'esthétique du ridicule*

Molière tente donc de réunir deux conceptions du genre comique jugées jusqu'alors incompatibles : d'un côté, la comédie bouffonne, sans souci de la mesure et de la vraisemblance, de l'autre, la comédie *speculum vitae*, c'est-à-dire miroir vraisemblable de la vie dans lequel le rire cède la place au sourire. Leur incompatibilité s'appuyait sur le raisonnement suivant : pour instruire par le rire, il faut représenter les vices sous une forme outrée et caricaturale ; or, cette outrance, nécessaire pour provoquer le rire, ruine la vraisemblance de la représentation, vraisemblance nécessaire à la reconnaissance et donc indispensable à la portée édifiante de la représentation. La révolution moliéresque consiste à changer la perception du réel en affirmant que le ridicule existe comme tel dans la réalité environnante, c'est-à-dire à affirmer que l'homme peut être naturellement ridicule et donc que le ridicule ne provient pas d'une construction invraisemblable de l'art, d'un ajout en vue de sanctionner les défauts représentés, mais qu'il constitue la forme proprement comique de la vraisemblance. Ainsi la comédie accède à la même dignité que les autres genres tout en gardant sa spécificité comique (provoquer le rire). En effet, le ridicule se définit comme une déformation naturelle de l'homme sous l'emprise de la passion aveuglante. La comédie transpose sur la scène cette déformation pour représenter la vérité de l'être humain. La formulation la plus rigoureuse de cette thèse se trouve dans *La Lettre sur la comédie de l'imposteur*, texte anonyme rédigé à l'occasion de la version du *Tartuffe* de 1667 :

Le ridicule est la forme extérieure et sensible que la providence de la nature a attaché à tout ce qui est déraisonnable, pour nous en faire apercevoir, et nous obliger à le fuir. Pour connaître ce ridicule, il faut connaître la raison dont il signifie le défaut [*i.e.* l'absence], et voir en quoi elle consiste.

Le raisonnement philosophique, copié sur le modèle aristotélicien, fonde en raison le genre de la comédie tel que le met en pratique Molière et révèle son classicisme par la place qu'y occupent la Nature et la Raison. Molière parvient donc à créer un genre aux qualités formelles et aux résonances morales aussi élevées que la tragédie.

Jalons pour une histoire de la comédie au XVIIᵉ siècle

1629	Pierre Corneille, *Mélite*
1634	Pierre Corneille, *La Place Royale*
1636	Pierre Corneille, *L'Illusion comique*
1638	Desmarets de Saint-Sorlin, *Les Visionnaires*
1643	Paul Scarron, *Jodelet ou le Maître valet*
1654	Tristan l'Hermite, *Le Parasite*
	Cyrano de Bergerac, *Le Pédant joué*
1659	Molière, *Les Précieuses ridicules*
1660	Pierre Corneille, *Premier Discours sur le poème dramatique*
1663	Molière, *La Critique de l'École des femmes*
	Molière, *L'Impromptu de Versailles*
1664	Molière, *Première Version du Tartuffe*
1667	*Lettre sur la comédie de l'Imposteur*

Sur la comédie classique

Littératures classiques, 27, printemps 1996 : *L'Esthétique de la comédie*

Gabriel CONESA, *La Comédie à l'âge classique*, Paris, Le Seuil, 1995.

Patrick DANDREY, *Molière ou l'Esthétique du ridicule*, Paris, Klincksieck, 1992.

Robert GARAPON, *La Fantaisie verbale et le comique dans le théâtre français du Moyen Âge à la fin du XVIIe siècle*, Paris, Armand Colin, 1957.

Jean SERROY et Michel GILOT, *La Comédie à l'âge classique*, Paris, Belin, 1997.

Véronique STERNBERG, *Poétique de la comédie*, Paris, SEDES, «Campus», 1999.

L'écrivain
à sa table de travail

Réécriture et mélange des genres :
des sources à la première *École*

LES ENNEMIS DE Molière lui ont reproché d'avoir
pillé la matière de *L'École des femmes* chez d'autres. Climène, dans *La Critique*, désigne ainsi la nouvelle pièce
de Molière par le terme de « méchante rapsodie », c'est-
à-dire de recueil de passages issus d'autres œuvres.
Donneau de Visé dans ses *Nouvelles nouvelles* (1663) prétend même que Molière n'y a rien mis de lui. Ces
reproches mettent en évidence l'une des constantes de
l'écriture de Molière, et plus généralement du travail
de l'écrivain à l'époque classique, l'utilisation et la
reprise incessantes d'autres textes. Il s'agit donc non
seulement de repérer les emprunts multiples qu'a pu
faire Molière, mais surtout de quelle façon il les transforme pour construire le troisième volet de sa trilogie
du cocu, commencée par *Sganarelle ou Le Cocu imaginaire* (1660) et poursuivie avec *L'École des maris* (1662).
Voilà autant de phases d'écriture qui constituent autant
d'étapes dans l'élaboration de *L'École des femmes*.

1.

Les sources

1. *La précaution inutile et la tradition du conte facétieux*

La source principale de Molière est constituée par la nouvelle intitulée *La Précaution inutile* (1655) du poète comique et romancier Paul Scarron (1610-1660). Dans ce court récit, un homme d'âge mûr, épouvanté par la crainte de devenir cocu, fait élever sa pupille, que l'on croit orpheline, à l'écart du monde pour en faire une épouse fidèle. Mais sa précaution se révèle inutile car un jeune homme profite de l'absence du vieux tyran pour séduire la jeune fille qui, du fait même de son innocence, trompe la confiance de son tuteur et futur mari sans même s'en apercevoir. Comme dans tous les récits de ce genre, la fable se clôt sur une morale : « Une spirituelle peut être honnête femme d'elle-même et une sotte ne le peut sans le secours d'autrui et sans être bien conduite. » Cette nouvelle, inspirée d'une nouvelle espagnole, sert de matière à la comédie de Dorimon créée en 1661, *L'École des cocus ou La Précaution inutile*. Molière reprend donc à son compte un sujet déjà connu et porté au théâtre. Il y puise l'ossature même de sa comédie, construite sur le principe de la précaution inutile. C'est aussi au genre narratif qu'il emprunte l'un des principes de la construction dramatique de sa pièce, la « confidence perpétuelle », comme la nomme Uranie dans *La Critique* (scène 6). En effet, dans un conte tiré des *Facétieuses Nuits* de l'Italien Straparole, on voit un jeune homme tomber amoureux de la femme de son professeur sans savoir qui elle est et prendre le mari pour confident de ses amours et de ses aventures. Ce double emprunt met en évidence la filiation qui existe entre la pièce de Molière et la tradition du conte grivois, pendant narratif de la farce. On y retrouve en effet ce qui caractérise le plus souvent la tradition farcesque : le mauvais tour joué à un mari jaloux pour le rendre cocu.

2. *Le sens de la péripétie et la tradition de la comédie d'intrigue*

L'École des femmes propose une atmosphère proche de l'univers romanesque de la comédie d'intrigue : un balcon où le jeune galant grimpe de nuit pour retrouver celle qu'il y a aperçue la journée, une lettre d'amour lancée autour d'une pierre censée faire fuir l'importun, l'enlèvement préparé de la jeune fille par son amant, le piège tendu à celui-ci par son rival, l'arrivée inopinée d'un père d'Amérique, la reconnaissance finale qui permet le mariage… Autant d'éléments caractéristiques du genre et qui se retrouvent notamment dans une comédie espagnole de l'époque, *La Dama boba* de Lope de Vega, dans laquelle une jeune fille niaise se révèle sous l'effet de l'amour. Molière puise donc aussi dans cette matière, dont il tire l'un des principes comiques et romanesques les plus répandus, le *quiproquo* : jusqu'au dernier acte, Horace ne reconnaît pas Arnolphe dans le M. de la Souche qui séquestre Agnès. Ces sources mettent donc en évidence la synthèse comique qu'opère Molière qui emprunte aussi bien à l'univers farcesque du récit facétieux qu'à l'univers romanesque de la comédie d'intrigue.

2.

Une écriture par étapes :
du *Cocu imaginaire* et *L'École des maris*
à *L'École des femmes*

De *L'École des maris* à *L'École des femmes*, on passe
d'une construction dramaturgique encore très
influencée par la comédie d'intrigue à une construction plus singulière, fondée sur la répétition très stricte
d'un même schéma, celui de la précaution inutile.
Cette élaboration formelle est en outre mise au service
d'une plus grande finesse dans la peinture de caractère
et dans la peinture de mœurs. Mais l'innovation principale tient à la création du personnage d'Agnès.

1. *De Sganarelle à Arnolphe : du type au per-
sonnage*

Molière crée et interprète un personnage qui parcourt, sous différentes formes, toute son œuvre : Sganarelle. Le valet, mélange des Briguelle et Polichinelle de
la *commedia dell'arte*, apparaît dans la farce du *Médecin
volant* avant de prendre les traits d'un bourgeois parisien dans *Sganarelle ou Le Cocu imaginaire* en 1660. Dans
cette courte pièce en un acte et en vers, le personnage
se méprend sur le comportement de sa femme et se croit
cocu. Préoccupé par cette unique hantise, il esquisse déjà
le Sganarelle monomaniaque de *L'École des maris*. Toujours fortement marqué par la tradition du type, ce dernier acquiert cependant, dans cette première *École* en
trois actes, une profondeur nouvelle qui annonce l'humanité d'Arnolphe. Se constitue l'une des constantes

des personnages qui peuplent les comédies de Molière depuis Arnolphe jusqu'à Argan dans *Le Malade imaginaire* (1673), en passant par Alceste dans *Le Misanthrope* (1666).

Sganarelle, vieux barbon à l'allure ridicule, entend épouser sa pupille, Isabelle, qu'il veut tenir éloignée des corruptions du monde pour s'assurer sa fidélité. Mais il devient malgré lui le messager de l'amour mutuel que se vouent Isabelle et Valère. Ainsi la jeune fille lui fait croire que Valère lui a fait des avances insistantes pour qu'il aille dire au jeune godelureau de ne pas pousser plus avant ses instances. Valère, qui n'a rien fait de tel, découvre de cette façon l'intérêt que lui porte Isabelle. Isabelle fait ensuite croire à son tuteur que le jeune homme lui a fait parvenir un billet doux et lui demande de porter à l'impudent sa réponse qu'elle prétend être une fin de non-recevoir. Sganarelle, charmé de la moralité de sa jeune protégée, s'exécute sans savoir qu'il porte à Valère une lettre dans laquelle Isabelle lui demande de l'enlever pour la sauver d'un mariage qu'elle redoute. Sganarelle est donc dupé.

Alors que les personnages de la farce font rire le public avec eux, Molière crée un personnage dont on rit malgré lui et qui annonce très clairement Arnolphe. Sganarelle constitue une esquisse encore bouffonne d'Arnolphe. Les deux personnages monomaniaques se révèlent incapables d'affronter le monde tel qu'il est et veulent plier la réalité à leur désir en construisant un monde en accord avec leur imaginaire. Molière reprend son esquisse pour créer un personnage plus complexe, capable de faire rire, de faire peur et de faire pleurer. L'amour véritable qu'éprouve Arnolphe l'humanise. Ainsi dans le dernier acte, confronté à la rébellion d'Agnès, le barbon touche par son désarroi : «Étrange chose d'aimer », déclare-t-il, surpris lui-même de la force de la passion qu'il éprouve pour Agnès. Cette plus grande densité psychologique est construite par une structure dramaturgique singulière qui nous fait suivre toute l'action du seul point de vue d'Arnolphe (présent dans trente et une scènes sur trente-deux). Pour y parvenir, Molière mobilise des outils dramaturgiques jusque-là peu utilisés dans la comédie (le récit et le monologue).

2. *D'une* École *à l'autre : d'une peinture de mœurs convenue à une vision critique*

La peinture de mœurs de *L'École des maris* est proche de celle de *L'École des femmes*. En effet, les deux personnages principaux fondent leur chimère sur un même constat : le monde corrompt la jeunesse et pousse les femmes et les hommes à l'infidélité. Le dialogue entre Sganarelle et son frère Ariste qui ouvre la première *École* annonce celui d'Arnolphe avec son ami Chrysalde. Sganarelle reproche à son frère l'éducation qu'il a choisie pour sa pupille, tandis qu'il lui expose son propre choix (*L'École des maris*, I, 2) :

> Vous souffrez que la vôtre aille leste et pimpante :
> Je le veux bien ; qu'elle ait et laquais et suivante :
> J'y consens ; qu'elle coure, aime l'oisiveté,
> Et soit des damoiseaux fleurée en liberté :
> J'en suis fort satisfait. Mais j'entends que la mienne
> Vive à ma fantaisie, et non pas à la sienne ;
> Que d'un serge honnête elle ait son vêtement,
> Et ne porte le noir qu'aux bons jours seulement,
> Qu'enfermée au logis, en personne bien sage,
> Elle s'applique toute aux choses du ménage,
> À recoudre mon linge aux heures de loisir,
> Ou bien à tricoter quelque bas par plaisir ;
> Qu'aux discours des muguets elle ferme l'oreille,

> Et ne sorte jamais sans avoir qui la veille.
> Enfin la chair est faible, et j'entends tous les bruits.
> Je ne veux point porter de cornes, si je puis ;
> Et comme à m'épouser sa fortune l'appelle,
> Je prétends corps pour corps pouvoir répondre d'elle.

Sganarelle décrit ici les travers d'une société éprise de galanterie et de mondanité à laquelle il oppose les joies d'une vie simple et rigoureuse à l'abri des faux semblants : sa pupille doit porter des vêtements faits d'une étoffe ordinaire (le « serge »), réserver le noir, couleur des tenues habillées, aux jours de fête, ne pas écouter les discours de galants (« les muguets »), et se consacrer aux travaux ménagers. Autant de points qui caractérisent aussi l'éducation d'Agnès et le mode de vie que lui impose Arnolphe. Mais Molière lui donne une autre ampleur dans *L'École des femmes* en accentuant encore davantage le caractère fortement satirique de cette peinture et en la reliant à des enjeux idéologiques, notamment religieux plus forts. Ainsi la première scène de l'acte I propose un tableau beaucoup plus précis de cette société galante, que Sganarelle évoque, et centré sur le comportement des femmes et la complaisance de leur mari. En outre, il agrémente le discours d'Arnolphe de formules plus frappantes (« Épouser une sotte est pour n'être point sot », v. 82), sur lesquelles Chrysalde ne manque pas de revenir. Molière transforme l'étroitesse de vues et la bêtise de Sganarelle en véritable folie chez Arnolphe. Mais cette folie est elle-même reliée à un fait de société, l'influence des dévots, catholiques doctrinaires qui s'opposent farouchement à la relative libération des mœurs amorcée dans ces années-là. Ainsi Arnolphe prétend agir en bon chrétien. Les « Maximes du mariage ou les devoirs de la femme mariée » qu'il fait lire à Agnès à l'acte III font directement référence aux traités de direction morale de l'époque, qui s'inspirent de l'*Introduction à la vie dévote* d'Ignace de Loyola. Remettre en question l'autorité accordée au père et au mari était dans tous les cas suspect au regard des religieux, puisque cette autorité se fondait en grande partie sur une certaine lecture de l'Écriture sainte. En outre, Molière accuse ouvertement la religion de pouvoir être une force répressive et obscurantiste, utilisée pour maintenir les gens dans l'ignorance afin de mieux les manipuler.

Entre les deux *Écoles*, la peinture de mœurs se fait donc plus critique : on passe d'un tableau assez léger à une vision plus sombre qui cible de façon beaucoup plus aiguë deux travers contraires de la société contemporaine : l'outrance précieuse et galante d'une part, le poids d'un discours religieux dévoyé de l'autre. Cette évolution signale la nouvelle ambition de Molière dans l'élaboration de sa première grande comédie : faire du genre le lieu d'une véritable réflexion morale et non plus un simple divertissement au service d'une morale passe-partout.

3. *Une évolution majeure : Agnès*

L'École des maris met en scène deux personnages de jeunes premières : l'une, Léonor, pupille d'Ariste, est une jeune fille de son temps, indépendante et sensible à la mode galante, l'autre, Isabelle, pupille de Sganarelle, est tenue à l'écart du monde par son tuteur et futur époux. Isabelle peut donc apparaître comme une première ébauche d'Agnès : elles ont reçu le même type d'éducation, elles sont sous la coupe du même genre d'homme. Cependant Isabelle, contrairement à Agnès, joue un rôle consciemment actif : lorsqu'elle apparaît pour la première fois, elle est déjà consciente de l'injustice qu'elle subit, elle se sait amoureuse de Valère et c'est elle-même qui conduit l'action de la pièce en construisant et renouvelant sans cesse le stratagème qui lui permet de tromper Sganarelle et de rentrer en contact avec son amant (*L'École des maris*, II, 1) :

> Ô Ciel ! sois-moi propice et seconde en ce jour
> Le stratagème adroit d'une innocente amour.

C'est par cet aparté qu'elle ouvre le deuxième acte et inaugure véritablement l'action. Elle sait donc ce qu'est l'amour. Agnès est bien différente : elle est totalement innocente au début de la pièce. Non seulement elle ne sait rien de l'amour, mais en outre elle n'a même pas conscience du caractère misérable de son sort. C'est par l'amour qu'elle va se révéler à elle-même, qu'elle va voir Arnolphe tel qu'il est et qu'elle va pouvoir agir pour changer sa situation. Cette transformation profonde de la jeune fille est d'autant plus intéressante qu'elle a lieu pour une grande part en dehors du plateau. En effet, Agnès est assez peu présente sur la scène, c'est principalement par les récits d'Horace que le spectateur, en même temps qu'Arnolphe, la voit s'éveiller à la vie. En construisant de cette façon la figure innocente d'Agnès, Molière enrichit considérablement sa comédie de caractère en proposant un discours sur la dualité de l'amour : passion aveuglante chez Arnolphe, passion éclairante chez Agnès. Richesse psychologique et richesse dramaturgique vont de pair : cette seconde naissance d'Agnès (à elle-même et au monde), en restant quasiment invisible, met d'autant plus en valeur le désenchantement d'Arnolphe et la violence de sa douloureuse prise de conscience. Avec la composition du personnage d'Agnès, l'on passe d'une comédie de caractères sans véritable profondeur psychologique à une étude complexe et trouble de la nature humaine. Molière parvient à créer une comédie ambiguë dans laquelle les personnages ont la profondeur de personnages de tragédie. Il réussit ainsi son pari : élever la comédie à la dignité de la tragédie.

Groupement de textes

L'école de l'amour

LE PERSONNAGE D'AGNÈS dans *L'École des femmes*
pose non seulement la question de l'éducation des
jeunes filles, mais surtout de la place et du rôle de
l'amour dans leur éveil à la vie (*L'École des femmes*,
v. 900-901) :

> Il le faut avouer, l'amour est un grand maître :
> Ce qu'on ne fut jamais il nous enseigne à l'être [...]

Cette question est au cœur des débats de l'époque classique, qui interrogent l'articulation de la nature et de la
culture. En effet, Arnolphe tente de maintenir Agnès
hors du monde, hors de toute culture pour la préserver
de toute dégradation morale, de toute corruption. Or,
il semble que ce soit la nature elle-même, sous la forme
du sentiment amoureux, qui sorte la jeune fille de son
innocence, considérée à tort par son tuteur comme état
de nature. Sa tentative s'oppose à la nature humaine.
L'amour, comme manifestation de la nature, apparaît
chez Molière comme une force positive de révélation
à soi-même. Le paradoxe de l'époque classique est
d'avoir pu tenir ce type de discours en même temps
qu'elle mettait en place une culture complexe du sentiment amoureux marquée par l'héritage de la rhétorique amoureuse classique et médiévale (de l'élégie au

sonnet pétrarquiste). Le roman et la pastorale ont ainsi fait de l'amour le lieu de constructions complexes, de codes langagiers et comportementaux que les précieuses se sont empressées de vouloir appliquer dans la vie réelle : l'amour a perdu ainsi son naturel pour devenir un jeu galant purement intellectuel. Mais la question est encore beaucoup plus complexe qu'il n'y paraît, car il ne s'agit pas tant dans le discours galant d'intellectualiser le sentiment amoureux que d'idéaliser ce que l'on pense être sa nature propre, de lui rendre, de façon totalement factice, son caractère idyllique — le lieu de l'idylle étant la transposition de l'Éden d'Adam et Ève. Le XVIIIe siècle poursuit cette interrogation en des termes proches bien que sensiblement différents en s'intéressant plus précisément à la part de naturel dans le sentiment et à l'effet nécessairement pervers de la société sur cette sensibilité naturelle.

Par ce thème, on touche donc à la fascinante complexité que l'époque classique a construite dans les liens de la nature et de la culture. Le moment de l'éveil amoureux permet de mesurer cette dualité pour essayer de mieux comprendre l'homme.

MOLIÈRE (1622-1673)

Les Précieuses ridicules (1659)

(Folio théâtre nº 45)

Dans son premier grand succès parisien, Molière montre les ravages de la préciosité sur l'esprit des jeunes filles. Magdelon et Cathos, jeunes provinciales, se piquent d'être à la mode, veulent faire preuve d'indépendance et croient pouvoir vivre comme dans les romans qu'elles aiment tant et qui leur semblent si délicats. L'Astrée d'Honoré d'Urfé, roman pastoral du début du siècle dans lesquels des bergers et des bergères de

fiction parlent d'amour en des termes choisis, puis les romans
fleuves de Mlle de Scudéry dans les années 1650, ont cons-
truit une rhétorique amoureuse complexe, censée révéler la
nature délicate et policée de l'homme.

Dans cet extrait, Magdelon expose une vision tout à fait
idéalisée et grotesque de l'amour. Elle reproche à son père, qui
prétend lui avoir trouvé un mari, la grossièreté de sa démarche.
La satire de la préciosité est ici à son comble.

MAGDELON : Mon père, voilà ma cousine qui vous dira
aussi bien que moi que le mariage ne doit jamais arriver qu'après les autres aventures. Il faut qu'un amant,
pour être agréable, sache débiter les beaux sentiments, pousser le doux, le tendre et le passionné, et
que sa recherche soit dans les formes. Premièrement,
il doit voir au temple, ou à la promenade, ou dans
quelque cérémonie publique, la personne dont il
devient amoureux ; ou bien être conduit fatalement
chez elle par un parent ou un ami, et sortir de là tout
rêveur et mélancolique. Il cache, un temps, sa passion
à l'objet aimé ; et cependant lui rend plusieurs visites,
où l'on ne manque jamais de mettre sur le tapis une
question galante qui exerce les esprits de l'assemblée.
Le jour de la déclaration arrive, qui se doit faire ordi-
nairement dans une allée de quelque jardin, tandis
que la compagnie s'est un peu éloignée ; et cette déclaration est suivie d'un prompt courroux, qui paraît à
notre rougeur, et qui, pour un temps, bannit l'amant
de notre présence. Ensuite il trouve moyen de nous
apaiser, de nous accoutumer insensiblement au discours de sa passion, et de tirer de nous cet aveu qui fait
tant de peine. Après cela viennent les aventures, les
rivaux qui se jettent à la traverse d'une inclination éta-
blie, les persécutions des pères, les jalousies conçues
sur de fausses apparences, les plaintes, les désespoirs,
les enlèvements, et ce qui s'ensuit.

Voilà comme les choses se traitent dans les belles
manières et ce sont des règles dont, en bonne galanterie, on ne saurait se dispenser. Mais en venir de but en
blanc à l'union conjugale, ne faire l'amour qu'en fai-

sant le contrat de mariage, et prendre justement le
roman par la queue ; encore un coup, mon père, il
ne se peut rien de plus marchand que ce procédé ; et
j'ai mal au cœur de la seule vision que cela me fait.

(Scène 4)

Jean de LA FONTAINE (1621-1695)

Les Amours de Psyché et de Cupidon (1669)

(GF nº 568)

*Ce roman qui mêle prose et poésie constitue, par sa forme
et par sa matière mythologique, une œuvre caractéristique de
l'esthétique galante. La Fontaine y raconte l'histoire de Psyché, choisie pour épouser un dieu qu'elle est condamnée à ne
jamais voir. Ce dieu n'est autre qu'Amour lui-même. Bien
qu'elle mène une vie heureuse avec cet époux invisible, sa
curiosité la pousse à vouloir découvrir le visage de celui
qu'elle aime. Mais lorsqu'elle le découvre, elle est chassée de
l'univers idyllique dans lequel elle vivait. Sur son chemin, elle
découvre un vieil ermite qui vit retiré avec ses deux filles dans
les bois. Il accueille la jeune femme éplorée, dont la beauté et
la tristesse attisent la curiosité des deux jeunes sœurs. L'auteur des* Fables *fait de ce récit le lieu d'un discours complexe
et protéiforme sur l'amour.*

*Cet extrait propose sous la forme d'une scène une réflexion
sur l'innocence amoureuse. N'est-il pas vain de penser que les
jeunes gens ne doivent rien connaître à l'amour puisque la
nature elle-même leur fait découvrir l'amour ? Ne vaut-il pas
mieux prévenir les débordements possibles provoqués par un
sentiment violent et inconnu et épargner les peines d'une
innocence trompée ?*

Une fois pourtant la curiosité de son sexe, et la
sienne propre, lui fit écouter une conversation secrète
des deux bergères. Le vieillard avait permis à l'aînée
de lire certaines fables amoureuses que l'on compo-
sait alors, à peu près comme nos romans, et l'avait

défendu à la cadette, lui trouvant l'esprit trop ouvert
et trop éveillé. C'est une conduite que nos mères de
maintenant suivent aussi : elles défendent à leurs filles
cette lecture pour les empêcher de savoir ce que c'est
qu'amour ; en quoi je tiens qu'elles ont tort ; et cela est
même inutile, la Nature servant d'*Astrée*. Ce qu'elles
gagnent par là n'est qu'un peu de temps : encore n'en
gagnent-elles point, une fille qui n'a rien lu croit
qu'on n'a garde de la tromper, et est plutôt prise. Il est
de l'amour comme du jeu ; c'est prudemment fait que
d'en apprendre toutes les ruses, non pas pour les pra-
tiquer, mais afin de s'en garantir. Si jamais vous avez
des filles, laissez-les lire.

Celles-ci s'entretenaient à l'écart. Psyché était assise
à quatre pas d'elles sans qu'on la vit. La cadette dit à
l'aînée :

« Je vous prie, ma sœur, consolez-moi : je ne me
trouve plus belle comme je faisais. Vous semble-t-il pas
que la présence de Psyché nous ait changées l'une et
l'autre ? J'avais du plaisir à me regarder devant qu'elle
vînt ; je n'en ai plus.

— Et ne vous regardez pas, dit l'aînée.

— Il se faut bien regarder, reprit la cadette : comment ferait-on autrement pour s'ajuster comme il
faut ? Pensez-vous qu'une fille soit comme une fleur,
qui sait arranger ses feuilles sans se servir de miroir ? Si
j'étais rencontrée de quelqu'un qui ne me trouvât pas
à son gré ?

— Rencontrée dans ce désert, dit l'aînée : vous me
faites rire.

— Je sais bien, reprit la cadette, qu'il est difficile d'y
aborder ; mais cela n'est pas absolument impossible.
Psyché n'a point d'ailes, ni nous non plus ; nous nous
y rencontrons cependant. Mais, à propos de Psyché,
que signifient les paroles qu'elle a gravées sur nos
hêtres ? pourquoi mon père l'a-t-il priée de ne me les
point expliquer ? d'où vient qu'elle soupire incessam-
ment ? qui est cet Amour qu'elle dit qu'elle aime ?

— Il faut que ce soit son frère, repartit l'aînée.

— Je gagerais bien que non, dit la jeune fille. Vous qui parlez, feriez-vous tant de façons pour un frère ?

— C'est donc son mari, répliqua la sœur.

— Je vous entends bien, reprit la cadette ; mais les maris viennent-ils au monde tout faits ? ne sont-ils point quelque autre chose auparavant ? Qu'était l'Amour à sa femme devant que de l'épouser ? c'est ce que je vous demande.

— Et ce que je ne vous dirai pas, répondit la sœur ; car on me l'a défendu.

— Vous seriez bien étonnée, dit la jeune fille, si je le savais déjà. C'est un mot qui m'est venu dans l'esprit sans que personne me l'ait appris. Devant que l'Amour fût le mari de Psyché, c'était son amant.

— Qu'est-ce à dire amant ? s'écria l'aînée ; y a-t-il des amants au monde ?

— S'il y en a ? reprit la cadette : votre cœur ne vous l'a-t-il point encore dit ? il y a tantôt six mois que le mien ne me parle d'autre chose.

— Petite fille, reprit sa sœur, si l'on vous entend, vous serez criée.

— Quel mal y a-t-il à ce que je dis ? lui repartit la jeune bergère. Hé ! ma chère sœur, continua-t-elle en lui jetant les deux bras au cou, apprenez-moi je vous prie, ce qu'il y a dans vos livres.

— On ne le veut pas, dit l'aînée.

— C'est à cause de cela, reprit la cadette que j'ai une extrême envie de le savoir. Je me lasse d'être un enfant et une ignorante. »

(Livre second)

MARIVAUX (1688-1763)

La Dispute (1744)

(Pléiade)

Le xviiie siècle place le sentiment au centre de ses interroga-tions sur la nature humaine. L'œuvre de Marivaux est par-

ticulièrement caractéristique de cette réflexion. En effet, l'auteur de La Double Inconstance *(1723) fonde sa dramaturgie sur une « métaphysique du cœur » : il cherche dans les comportements amoureux ce qui révèle la nature profonde des êtres.* La Dispute *s'ouvre sur un débat : le Prince et Hermiane se disputent pour savoir qui de l'homme ou de la femme s'est montré le premier inconstant. Pour régler cette dispute, le Prince propose à son invitée d'assister à la rencontre de quatre jeunes gens gardés à l'état de nature et d'être ainsi spectatrice de la naissance de l'amour et de ses conséquences. Cette pièce utilise donc le cadre de l'utopie pour interroger la nature originelle de l'homme. On retrouve ici l'une des constantes de l'esprit des Lumières qui ne cesse de réactiver le mythe de l'origine et du « bon sauvage » pour penser l'homme et la société.*

Dans cet extrait, la jeune Églé, qui contemple pour la première fois son reflet dans le cours d'un ruisseau, rencontre Azor. Cette découverte de l'autre donne à voir la naissance du sentiment amoureux et ses effets sur chacun des deux adolescents.

ÉGLÉ, AZOR

Églé un instant seule, Azor vis-à-vis d'elle.

ÉGLÉ, *continuant et se tâtant le visage*: Je ne me lasse point de moi. *(Et puis, apercevant Azor avec frayeur.)* Qu'est-ce que c'est que cela, une personne comme moi… N'approchez point. *(Azor étendant les bras d'admiration et souriant. Églé continue.)* La personne rit, on dirait qu'elle m'admire. *(Azor fait un pas.)* Attendez… Ses regards sont pourtant bien doux… Savez-vous parler ?

AZOR : Le plaisir de vous voir m'a d'abord ôté la parole.

ÉGLÉ, *gaiement* : La personne m'entend, me répond, et si agréablement !

AZOR : Vous me ravissez.

ÉGLÉ : Tant mieux.

AZOR : Vous m'enchantez.

ÉGLÉ : Vous me plaisez aussi.

AZOR : Pourquoi donc me défendez-vous d'avancer ?

ÉGLÉ : Je ne vous le défends plus de bon cœur.

AZOR : Je vais donc approcher.

ÉGLÉ : J'en ai bien envie. *(Il avance.)* Arrêtez un peu…
Que je suis émue !

AZOR : J'obéis, car je suis à vous.

ÉGLÉ : Elle obéit ; venez donc tout à fait, afin d'être à
moi de plus près. *(Il vient.)* Ah ! la voilà, c'est vous,
qu'elle est bien faite ! en vérité, vous êtes aussi belle
que moi.

AZOR : Je meurs de joie d'être auprès de vous, je me
donne à vous, je ne sais pas ce que je sens, je ne saurais
le dire.

ÉGLÉ : Eh, c'est tout comme moi.

AZOR : Je suis heureux, je suis agité.

ÉGLÉ : Je soupire.

AZOR : J'ai beau être auprès de vous, je ne vous vois
pas encore assez.

ÉGLÉ : C'est ma pensée, mais on ne peut pas se voir
davantage, car nous sommes là.

AZOR : Mon cœur désire vos mains.

ÉGLÉ : Tenez, le mien vous les donne ; êtes-vous plus
content ?

AZOR : Oui, mais pas plus tranquille.

ÉGLÉ : C'est ce qui m'arrive, nous nous ressemblons
en tout.

AZOR : Oh ! quelle différence ! Tout ce que je suis ne
vaut pas vos yeux, ils sont si tendres !

ÉGLÉ : Les vôtres si vifs !

AZOR : Vous êtes si mignonne, si délicate !

ÉGLÉ : Oui, mais je vous assure qu'il vous sied bien de
ne l'être pas tant que moi, je ne voudrais pas que vous
fussiez autrement, c'est une autre perfection, je ne nie
pas la mienne, gardez-moi la vôtre.

AZOR : Je n'en changerai point, je l'aurai toujours.

ÉGLÉ : Ah ça, dites-moi, où étiez-vous quand je ne vous
connaissais pas ?

AZOR : Dans un monde à moi, où je ne retournerai
plus, puisque vous n'en êtes pas, et que je veux tou-

jours avoir vos mains ; ni moi ni ma bouche ne sau-
raient plus nous passer d'elles.

ÉGLÉ : Ni mes mains se passer de votre bouche ; mais
j'entends du bruit, ce sont des personnes de mon
monde : de peur de les effrayer, cachez-vous derrière
les arbres, je vais vous rappeler.

AZOR : Oui, mais je vous perdrai de vue.

ÉGLÉ : Non, vous n'avez qu'à regarder dans cette eau
qui coule, mon visage y est, vous l'y verrez.

(Scène 4)

Pierre Choderlos de LACLOS (1741-1803)
Les Liaisons dangereuses (1782)

*Le paradoxe de l'amour reste entier : à la fois élan naturel
et force qui construit en partie l'être social, il révèle l'homme à
lui-même en même temps qu'il peut le pousser à la dissimula-
tion face à l'autre. Cette contradiction apparaît très clairement
dans la pensée des libertins qui construisent une dialectique
complexe entre la nature et la société dans laquelle le sentiment se transforme en instinct. L'amour n'est plus qu'une
conquête de l'autre et que la possibilité d'assouvir ses pulsions
« naturelles ». L'innocence constitue pour le libertin un ter-
rain d'expérimentation.*

Dans Les Liaisons dangereuses, *Laclos propose une
vision noire de la société de son temps. Dans ce roman épisto-
laire, la jeune innocente qu'est Cécile Volanges sort du couvent en étant tout à fait ignorante des choses de l'amour.
Prise en main par la marquise de Merteuil qui cache sous les
dehors d'une vie conforme à la morale des mœurs de libertine
aguerrie, Cécile est le jouet de la rivalité qui oppose la marquise au vicomte de Valmont, noble dépravé. Ensemble, ils
abusent la confiance de la jeune fille : tout en espérant pouvoir épouser le chevalier Danceny, elle se soumet au désir de
Valmont sans se rendre compte de l'immoralité de sa conduite.*

*Dans cet extrait, ses mots trahissent son ingénuité dont les
deux libertins abusent et qu'ils pervertissent.*

Cécile Volanges à la marquise de Merteuil

[...] Je vois bien que ce que je croyais être un si grand malheur n'en est presque pas un; et il faut avouer qu'il y a bien du plaisir; de façon que je ne m'afflige presque plus. Il n'y a que l'idée de Danceny qui me tourmente toujours quelquefois. Mais il y a déjà tout plein de moments où je n'y songe pas du tout! aussi c'est que M. de Valmont est bien aimable!

Je me suis raccommodée avec lui depuis deux jours; ça m'a été bien facile; car je ne lui avais pas encore dit que deux paroles, qu'il m'a dit que si j'avais quelque chose à lui dire, il viendrait le soir dans ma chambre, et je n'ai eu qu'à répondre que je voulais bien. Et puis, dès qu'il y a été, il n'a plus paru fâché que si je ne lui avais jamais rien fait. Il ne m'a grondée qu'après, et encore bien doucement, et c'était d'une manière… Tout comme vous; ce qui m'a prouvé qu'il avait aussi bien de l'amitié pour moi.

Je ne saurais vous dire combien il m'a raconté de drôles de choses et que je n'aurais jamais crues, particulièrement sur Maman. Vous me feriez bien plaisir de me mander si tout ça est vrai. Ce qui est bien sûr c'est que je ne pouvais pas me retenir de rire; si bien qu'une fois j'ai ri aux éclats, ce qui nous a fait bien peur; car Maman aurait pu entendre; et si elle était venue voir, qu'est-ce que je serais devenue? C'est bien pour le coup qu'elle m'aurait remise au couvent.

Comme il faut être prudent, et que, comme M. de Valmont m'a dit lui-même, pour rien au monde il ne voudrait risquer de me compromettre, nous sommes convenus que dorénavant il viendrait seulement ouvrir la porte, et que nous irions dans sa chambre. Pour là, il n'y a rien à craindre; j'y ai déjà été hier, et actuellement que je vous écris, j'attends encore qu'il vienne. À présent, Madame, j'espère que vous ne me gronderez plus. [...]

(Troisième partie, lettre 109)

BEAUMARCHAIS (1732-1799)

Le Mariage de Figaro (1784)

(La bibliothèque Gallimard n° 28)

*Les premiers émois amoureux constituent une source inépuisable de réflexion sur la nature de l'amour et ses effets. Le XVIII*e *siècle mêle ainsi l'observation de l'adolescence amoureuse à l'étude du désir. Dans* Le Mariage de Figaro, *Beaumarchais met en scène un tout jeune homme, Chérubin, qui, pris dans le tourbillon de ses désirs naissants, multiplie les objets de son amour. Cet enthousiasme le conduit à parodier, malgré lui, les comportements galants. Le personnage est ainsi construit comme une figure drôle et attachante de l'amour sous toutes ses formes.*

Dans cet extrait, Chérubin se réfugie chez sa marraine la Comtesse, pour qu'elle tente de persuader son mari de ne pas le renvoyer. S'ouvre alors une scène galante entre le jeune étourdi et Suzanne, suivante de la Comtesse, qui se moque des élans de l'adolescent.

SUZANNE, CHÉRUBIN

CHÉRUBIN, *accourant*: Ah, Suzon! depuis deux heures j'épie le moment de te trouver seule. Hélas! tu te maries, et moi je vais partir.

SUZANNE : Comment mon mariage éloigne-t-il du château le premier page de Monseigneur?

CHÉRUBIN, *piteusement*: Suzanne, il me renvoie.

SUZANNE, *le contrefait*: Chérubin, quelle sottise !

CHÉRUBIN : Il m'a trouvé hier chez ta cousine Fanchette, à qui je faisais répéter son petit rôle d'innocente, pour la fête de ce soir : il s'est mis dans une fureur en me voyant! — *Sortez*, m'a-t-il dit, *petit*... Je n'ose pas prononcer devant une femme le gros mot qu'il a dit : *Sortez; et demain vous ne coucherez pas au château.* Si Madame, si ma belle marraine ne parvient pas à l'apaiser, c'est fait, Suzon, je suis à jamais privé du bonheur de te voir.

SUZANNE : De me voir ! moi ? c'est mon tour ! Ce n'est donc plus pour ma maîtresse que vous soupirez en secret ?

CHÉRUBIN : Ah ! Suzon, qu'elle est noble, et belle ! mais qu'elle est imposante !

SUZANNE : C'est-à-dire que je ne le suis pas, et qu'on peut oser avec moi...

CHÉRUBIN : Tu sais trop bien, méchante, que je n'ose pas oser. Mais que tu es heureuse ! à tous moments la voir, lui parler, l'habiller le matin et la déshabiller le soir, épingle à épingle... ah ! Suzon ! je donnerais... Qu'est-ce que tu tiens donc là ?

SUZANNE, *raillant* : Hélas ! l'heureux bonnet et le fortuné ruban qui renferment la nuit les cheveux de cette belle marraine...

CHÉRUBIN, *vivement* : Son ruban de nuit ! donne-le-moi, mon cœur.

SUZANNE, *le retirant* : Eh ! que non pas ; *Son cœur !* Comme il est familier donc ! Si ce n'était pas un morveux sans conséquence... *(Chérubin arrache le ruban.)* Ah ! le ruban !

CHÉRUBIN, *tourne autour du grand fauteuil* : Tu diras qu'il est égaré, gâté ; qu'il est perdu. Tu diras tout ce que tu voudras.

SUZANNE, *tourne après lui* : Oh ! dans trois ou quatre ans, je prédis que vous serez le plus grand petit vaurien !... Rendez-vous le ruban ?

Elle veut le reprendre.

CHÉRUBIN, *tire une romance de sa poche* : Laisse, ah, laisse-le-moi, Suzon ; je te donnerai ma romance ; et pendant que le souvenir de ta belle maîtresse attristera tous mes moments, le tien y versera le seul rayon de joie qui puisse encore amuser mon cœur.

SUZANNE, *arrache la romance* : Amuser votre cœur, petit scélérat ! vous croyez parler à votre Fanchette. On vous surprend chez elle, et vous soupirez pour madame ; et vous m'en contez à moi, par-dessus le marché !

CHÉRUBIN, *exalté* : Cela est vrai, d'honneur ! Je ne sais

plus ce que je suis ; mais depuis quelque temps je sens ma poitrine agitée ; mon cœur palpite au seul aspect d'une femme ; les mots *amour* et *volupté* le font tressaillir et le troublent. Enfin le besoin de dire à quelqu'un *Je vous aime* est devenu pour moi si pressant que je le dis tout seul, en courant dans le parc, à ta maîtresse, à toi, aux arbres, aux nuages, au vent qui les emporte avec mes paroles perdues. Hier, je rencontrai Marceline…

SUZANNE, *riant* : Ah, ah, ah, ah !

CHÉRUBIN : Pourquoi non ? elle est femme, elle est fille ! Une fille ! une femme ! ah que ces noms sont doux ! qu'ils sont intéressants !

SUZANNE : Il devient fou !

(Acte I, scène 7)

Chronologie

Molière et son temps

1.

Des origines bourgeoises
à l'itinérance provinciale (1622-1658)

1. *L'initiation au théâtre*

Jean-Baptiste Pocquelin, futur Molière, naît à Paris en 1622 dans une famille bourgeoise. Sa mère meurt prématurément en 1632. Son père, artisan tapissier, achète un office de tapissier et valet de chambre ordinaire du Roi qu'il destine à son fils. Jean-Baptiste suit des études au prestigieux collège de Clermont, dirigé par les jésuites. Il y acquiert non seulement une solide culture classique, mais aussi le goût du théâtre que l'enseignement jésuite privilégiait particulièrement. Ses années de jeunesse et de formation correspondent aux débuts d'un renouveau esthétique et idéologique en France : le jeune Corneille, lui aussi originaire d'une famille bourgeoise de Rouen, connaît ses premiers succès au début des années 1630 avec ses comédies, avant d'être consacré en 1637 avec *Le Cid*, puis en 1640 avec *Horace*. Cette période est marquée par une réelle effervescence intellectuelle et artistique à laquelle le jeune

Molière n'a pu qu'être sensible. Il se noue d'amitié avec Chapelle, jeune homme de sa génération et élève de Gassendi, figure majeure du libertinage intellectuel de l'époque. Cette relative liberté de pensée qui tente de se faire jour est rendue manifeste par la parution en 1641 des *Méditations métaphysiques* de Descartes. Peut-être est-ce là que le jeune Jean-Baptiste puise son désir d'indépendance qui le pousse en 1643 à rompre avec sa famille pour se consacrer au théâtre et fonder la troupe de l'Illustre-Théâtre.

Cette première expérience théâtrale naît de la rencontre avec les trois autres membres fondateurs de la troupe, issus d'une famille de comédiens, les Béjart : Madeleine, son frère Louis et sa sœur Geneviève. Ils s'installent dans la salle du jeu de paume des Métayers pour jouer des auteurs contemporains comme Tristan L'Hermite. Mais les débuts sont difficiles : en août 1645, Jean-Baptiste, devenu Molière, est mis en prison pour dettes en tant que responsable financier. Rapidement libéré, il décide de quitter Paris en septembre 1645. Sa vie se confond alors avec celle de sa troupe itinérante à laquelle appartiennent toujours les trois Béjart.

2. *La réussite d'une jeune troupe*

C'est dans les provinces du sud de la France que la troupe commence à construire son succès. Molière part d'abord à Bordeaux, où il rejoint son ami Dufresne, comédien qui bénéficie du soutien du duc d'Épernon. La troupe joue donc à l'occasion des nombreuses fêtes données par le gouverneur de Guyenne, en même temps qu'elle sillonne les villes des alentours. Dès les années 1650, Molière trouve dans les États du Languedoc un nouveau soutien et une nouvelle source de revenus : lors d'une réunion des États en septembre 1653, Molière et ses comédiens, venus pour jouer, rencontrent leur nouveau protecteur en la personne du prince de Conti, nouveau gouverneur de Guyenne. Ils deviennent alors « Troupe de Mgr le prince de Conti ». Mais le prince leur retire son soutien en 1657 à la suite d'une conversion religieuse qui le détourne définitivement du théâtre. Cependant ce brusque retournement de fortune ne brise pas l'ascension de la troupe déjà largement reconnue, notamment grâce à ses nouvelles créations signées de la main de Molière lui-même : *L'Étourdi* joué à Lyon en 1655, puis *Le Dépit amoureux* présenté à Béziers en décembre 1656. La troupe est accueillie en mai 1658 à Rouen, par les frères Corneille, avant de rejoindre Paris.

Ces années permettent à Molière de devenir un véritable artisan du théâtre, à la fois chef de troupe, comédien et auteur. Il mêle à la solide formation intellectuelle qu'il a reçue une expérience scénique déterminante pour son œuvre à venir. En 1658, il a acquis un réel savoir-faire et a permis à sa troupe de devenir une entreprise assez prospère qui a su profiter du soutien des grands.

1635	Richelieu fonde l'Académie française.
1636	Corneille, *Le Cid*.
1638	Naissance du futur Louis XIV.
1639	Naissance de Racine.
1641	Descartes, *Méditations métaphysiques*.
1643	Mort de Louis XIII, début de la Régence d'Anne d'Autriche, Mazarin ministre.
1645	Gassendi au Collège de France.
1648	Début de la Fronde.
1651	Pascal, invention de la machine arithmétique.
1652	Échec de la Fronde.
1656	Pascal, *Les Provinciales*.

2.

Les années d'ascension : premiers succès, premiers ennemis (1658-1666)

1. *L'introduction à la cour*

En 1658, la troupe obtient le soutien de Monsieur, duc d'Orléans, frère du roi, qui l'invite à venir jouer devant le jeune roi au palais du Louvre le 24 octobre. Molière et ses comédiens proposent une tragédie, *Nicomède* de Corneille, précédée, comme le veut la tradition de l'époque, d'un « court divertissement », une farce en un acte écrite par Molière, *Le Docteur amoureux*. Le roi, charmé par cette petite pièce comique, ordonne l'installation de la troupe au Petit-Bourbon qu'elle devra partager avec les Comédiens-Italiens. L'année suivante, Molière connaît son premier grand succès avec une nouvelle farce, qui renouvelle le genre par ses accents satiriques, *Les Précieuses ridicules*. Fort de cette première réussite publique, il crée en 1660 *Sganarelle ou Le Cocu imaginaire*, pièce courte qui mélange l'univers de la farce à la comédie d'intrigue. En 1661, la troupe déménage pour la salle du Palais-Royal dans laquelle elle monte *L'École des maris*, œuvre plus ambitieuse en trois actes. Mais c'est surtout avec *Les Fâcheux* que Molière accroît sa gloire. En effet, ce divertissement, qui mêle théâtre, ballets et musique, lui a été commandé par Fouquet pour les fêtes qu'il donne en l'honneur du roi dans son nouveau château de Vaux-le-Vicomte. La pièce plaît tant au roi qu'il recommande à l'auteur quelques modifications, rapidement exécutées pour la reprise de la pièce au Palais-Royal.

2. *Un talent scandaleux*

C'est donc un auteur déjà auréolé d'un certain prestige et objet de nombreuses jalousies qui épouse la toute jeune Armande Béjart, sœur ou fille de Madeleine Béjart, en février 1662, et crée *L'École des femmes* en décembre de la même année. Cette nouvelle œuvre marque un tournant dans sa carrière puisqu'elle révèle pleinement ses ambitions artistiques et son génie propre. Mais elle lui vaut de très vives critiques qui s'attaquent aussi à la vie privée de l'homme de théâtre, jugé scandaleux. Le soutien royal cependant ne se dément pas, et c'est à Versailles même en 1663 que Molière peut répondre à ses détracteurs et remercier le jeune Louis XIV, qui règne seul depuis 1661. Le roi donne une preuve supplémentaire de son amitié pour Molière en devenant parrain de son fils en 1664. Cette même année la troupe revient à Versailles avec *Tartuffe*, grande comédie dirigée contre les faux dévots : la pièce est immédiatement interdite. Le scandale est d'une rare violence et s'accentue encore l'année suivante avec la création de *Dom Juan*, retiré de l'affiche au bout de quinze jours. Sans le soutien du roi, Molière aurait pu voir ses œuvres brûlées et sa vie inquiétée. Les liens qu'il noue avec le jeune souverain pendant ces années sont donc essentiels car ils lui permettront de poursuivre une œuvre variée et exigeante. Les deux pièces créées en 1666 (*Le Misanthrope*, grande comédie en cinq acte et en vers, et *Le Médecin malgré lui*, farce) donnent à nouveau la preuve éclatante du caractère protéiforme de son génie comique.

Molière devient donc en quelques années l'auteur comique le plus reconnu. Son talent, qui se révèle tout entier dans ses premières grandes comédies, lui vaut non seulement un immense succès public, mais aussi l'appui du jeune Louis XIV pour lequel il développera le genre du divertissement de cour, sous la forme de la comédie-ballet.

1659	Paix des Pyrénées entre la France et l'Espagne.
1661	Mort de Mazarin. Règne personnel de Louis XIV. Arrestation de Fouquet.
1662	Colbert ministre.
1663	Le Nôtre dessine le parc de Versailles.
1664	Fête des *Plaisirs de l'île enchantée* à Versailles.
1665	Colbert devient contrôleur général des Finances.
1666	Mort d'Anne d'Autriche, reine mère.

3.

Le temps de la consécration (1667-1673)

Malgré sa remarquable ascension, Molière connaît de réelles difficultés en 1667. Pourtant les fêtes du «Ballet des Muses», qui ont lieu à Saint-Germain de décembre 1666 à février 1667, le mettent à l'honneur puisqu'il y présente trois divertissements pastoraux, *Mélicerte*, la *Pastorale comique* et *Le Sicilien*, dans lequel le roi lui-même joue. Mais ce début d'année est aussi marqué par trois coups du sort successifs : l'échec d'*Atilla*, tragédie de Corneille qu'il monte au Palais-Royal, le départ de l'étoile de la troupe, Mlle du Parc, qui rejoint l'Hôtel de Bourgogne pour mettre son talent tragique au service notamment de Racine, qui lui confie le premier rôle dans *Andromaque*, et enfin la maladie qui frappe à nouveau Molière et qui l'emportera six ans plus tard. La troupe tente de donner une nouvelle version du *Tartuffe*, intitulée *L'Imposteur*, mais elle est à nouveau interdite le lendemain de la première. L'année 1668 efface rapidement ces revers successifs. Molière, avec *Amphitryon*, utilise le genre très en vogue de la pièce à machines pour renouer avec le succès. Suivent *Georges Dandin* représenté à Versailles, puis *L'Avare* au Palais-Royal, nouvelle comédie de caractère avec laquelle Molière réaffirme son autorité comique. Fort de ce nouvel élan et du soutien du roi, il parvient à faire jouer *Tartuffe* enfin autorisé.

Molière apparaît dès lors comme le grand ordonnateur des divertissements royaux en inventant le genre de la comédie-ballet, ancêtre de l'opéra, qui mêle machines, musique et danse. *Monsieur de Pourceaugnac* en 1669, *Le Bourgeois gentilhomme* en 1670, *Le Malade imaginaire* en 1673 offrent de magnifiques exemples du genre. C'est avec *Psyché*, tragédie-ballet «à machines», représentée à Saint-Germain en 1671 et à laquelle collaborent les dramaturges Corneille et Quinault, et le musicien Lulli, que Molière remporte son plus grand succès. Cette production galante n'est cependant pas exclusive : une nouvelle farce, *Les Fourberies de Scapin*, renouvelle une fois de plus le genre de la farce et de la comédie d'intrigue en 1671, et une ultime grande comédie de mœurs, *Les Femmes savantes*, revient sur le monde des précieuses, treize après *Les Précieuses ridicules*.

Molière meurt le 17 février 1673, en sortant de scène après la quatrième représentation du *Malade imaginaire*. Alors qu'il est lui-même malade et proche de la mort, sa dernière pièce met en scène un homme rendu fou par son angoisse de la mort. Une fois encore, il est parvenu à renouveler un lieu commun de la farce, celui de la satire de la médecine, en créant un personnage qui, tout en provoquant le rire, touche par son humanité.

1667	Racine, *Andromaque*.
1668	Racine, *Les Plaideurs* (comédie).
1669	Bossuet, *Oraison funèbre d'Henriette de France*.
1670	Pascal, *Les Pensées*.
1671	Le Brun décore Versailles.
1672	Racine, *Bajazet*.
1673	Premier opéra de Lulli sur un livret de Quinault (*Cadmus et Hermione*).

Éléments pour une
fiche de lecture

Regarder le tableau

- Regardez cette jeune femme : quelle vie lui imaginez-vous ? Qui peut-elle être ? À quoi pense-t-elle ?
- Comparez ce tableau avec d'autres portraits de jeunes femmes dans la peinture, et faites un exposé sur l'évolution de ce genre pictural au fil des siècles (les postures, les habits, les attitudes, les couleurs, etc.).
- Observez le sourire de la jeune fille. À quel autre sourire énigmatique très célèbre de l'histoire de la peinture vous fait-il penser ?
- Étudiez la palette des couleurs utilisées. Commentez les impressions données par la couleur froide de la robe et celle, plus chaude, de la chevelure : quelle sensation finale éprouve-t-on en regardant le tableau ?

La dramaturgie

- Molière respecte-t-il les règles de la dramaturgie classique ? Pour répondre, intéressez-vous à la règle des trois unités (action, temps, lieu) et aux questions de la vraisemblance et de la bienséance : l'action et les personnages sont-ils vraisemblables ? quels sont les éléments qui peuvent choquer le bon goût ?

- Sur quelles scènes se concentre l'exposition ? Qu'y apprend-on et de quelle façon ?
- Repérez et caractérisez le dénouement.
- Quelle est la place et la fonction du récit ? Comment Molière parvient-il à le rendre vivant ?
- Repérez les différents monologues qui parcourent la pièce. Quelle place occupent-ils ? Quelle est leur fonction ?
- Selon quel principe Molière construit-il son action ?

Le mélange des genres

- Repérez tous les éléments qui relèvent de la farce. Interrogez-vous sur leur place et leur(s) fonction(s).
- Par quels aspects *L'École des femmes* est-elle une comédie de mœurs ? Y a-t-il des passages qui relèvent du registre satirique ?
- Peut-on dire que *L'École des femmes* est une comédie de caractère ? Si oui, quels aspects de la nature humaine décrit-elle ?
- Dégagez les emprunts à la comédie d'intrigue. De quelle façon Molière les utilise-t-il ?

Les personnages

- Caractérisez le personnage de Chrysalde. Quelle est sa fonction ? De qui ou de quoi est-il le représentant ?
- Horace est l'héritier de la tradition du jeune premier. De quelle façon Molière reprend-il cette tradition, comment la transforme-t-il pour créer un personnage original ? Vous vous interrogerez sur l'évolution du personnage entre le début et la fin de la pièce pour montrer comment l'on passe du type au personnage.

- Repérez les scènes dans lesquelles Agnès est présente. Quelle remarque peut-on faire ? Comment pourriez-vous justifier ce choix dramaturgique ?
- Agnès passe de l'ingénuité la plus sotte à la détermination par la force de l'amour. Dégagez les différentes étapes de cette évolution. Quel discours sur l'amour le personnage permet-il à l'auteur de tenir ?
- Dégagez les différents éléments qui composent la figure complexe d'Arnolphe. De quelle façon Molière parvient-il à rendre touchant son vieux barbon ?

Génie comique et ambition sérieuse

- Quel est, selon vous, le fondement sérieux ou même tragique de la pièce de Molière ?
- Le critique Patrick Dandrey définit les objectifs de Molière de la façon suivante : « [...] parler de haute morale en bouffonnant, donner des lumières sur le cœur à la faveur d'un éclat de rire ». Qu'en pensez-vous ?

Interprétations et mises en scène

- En étudiant très précisément le lieu tel qu'il est décrit dans la pièce et l'espace dramatique qu'il définit, faites une proposition scénographique que vous justifierez. Elle doit non seulement servir la représentation, mais elle doit construire du sens.
- Dans la scène 5 de l'acte II, relevez toutes les indications qui sont indispensables à la mise en scène. Quelle disposition scénique peut-on proposer ? Comment mettre en évidence les enjeux de cette scène ?
- Arnolphe doit-il être interprété comme un person-

nage ridicule, comme un tortionnaire inquiétant et pervers, ou comme un homme amoureux ? Justifiez votre réponse par des éléments du texte.

Collège

La Bible (textes choisis) (49)

Fabliaux (textes choisis) (37)

Henri BARBUSSE, *Le Feu* (91)

CHRÉTIEN DE TROYES, *Le Chevalier au Lion* (2)

COLETTE, *Dialogues de bêtes* (36)

Pierre CORNEILLE, *Le Cid* (13)

Gustave FLAUBERT, *Trois contes* (6)

Wilhelm et Jacob GRIMM, *Contes* (textes choisis) (72)

HOMÈRE, *Odyssée* (18)

Victor HUGO, *Claude Gueux* suivi de *La Chute* (15)

Thierry JONQUET, *La vie de ma mère !* (106)

Joseph KESSEL, *Le Lion* (30)

Jean de LA FONTAINE, *Fables* (34)

J. M. G. LE CLÉZIO, *Mondo et autres histoires* (67)

Gaston LEROUX, *Le Mystère de la chambre jaune* (4)

Guy de MAUPASSANT, *12 contes réalistes* (42)

MOLIÈRE, *L'Avare* (41)

MOLIÈRE, *Le Médecin malgré lui* (20)

MOLIÈRE, *Les Fourberies de Scapin* (3)

MOLIÈRE, *Trois courtes pièces* (26)

George ORWELL, *La Ferme des animaux* (94)

Louis PERGAUD, *La Guerre des boutons* (65)

Charles PERRAULT, *Contes de ma Mère l'Oye* (9)

Jacques PRÉVERT, *Paroles* (29)

Jules RENARD, *Poil de Carotte* (66)

John STEINBECK, *Des souris et des hommes* (47)

Pour plus d'informations,
consultez le catalogue à l'adresse suivante :
http ://www.gallimard.fr

Composition Interligne
Impression Novoprint
à Barcelone, le 15 juin 2007
Dépôt légal : juin 2007
1ᵉʳ dépôt légal dans la collection: août 2004
ISBN 978-2-07-031506-2./ Imprimé en Espagne.